챌린지 블루

창비

차례

시작하는 이야기

또 그 아이다. 흑진주를 닮은 까만 두 눈이 햇살에 닿아 반짝였다. 아이를 보면 습관처럼 크레파스가 생각났다. 할머니가 늘 크레용이라 부르던 24가지 색들, 그중에서도 유독 파란색이 떠올랐다. 수레국화를 닮은, 아니 그보다 조금 더 진한 남색에 가까운 맑은 쪽빛……. '대체 왜?'라고 자문해 보지만 바림은 좀처럼 그 답을 찾을 수 없었다.

"안녕?"

아이의 목소리는 맑고 투명했다. 변성기가 오지 않은 소년이나 목소리가 굵은 여자처럼 느껴졌다.

"파란 크레용. 무슨 용 이름 같지 않냐?"

입에서 혼잣말인지 질문인지 모를 말들이 흘러나왔다. 바림이 말끄러미 아이를 쳐다보았다. 분명 이름을 들었던 것 같은데 그새 잊어버렸다. 바림이 아이를 향해 멋쩍은 미소를 지어 보였다.

"옛날 사람들은 용이 비를 내린다고 했는데. 어쨌든 재미있는 생각이야."

아이는 천천히 단어를 고르며 한마디씩 내뱉었다. 동굴에 떨어지는 물방울 소리 같았다. 늦은 밤 창을 두드리는 빗소리를 닮았다.

어디를 둘러봐도 새하얀 세상이었다. 인적이 사라진 겨울 산은 흩날리는 눈을 품에 안았다. 멀리 산허리에서부터 바람의 춤사위가 몰려왔다. 휘휘 날아다니는 투명한 날갯짓은 나뭇가지에 쌓인 눈을 허공에 흩뿌렸다. 하얗게 반짝이는 불꽃놀이가 잠시 나타났다 사라졌다. 눈부시게 아름다웠다. 침엽수가 바람의 손길을 따라 가만가만 뾰족한 잎을 뒤척였다.

사철 푸르다고 했지만, 겨울 소나무는 여름과 달랐다. 여름 솔잎이 푸른색이 감도는 짙은 녹색인 비리디언에 가깝다면, 겨울 소나무는 그보다 채도가 낮았다. 샙 그린에 블랙을 섞으면 비슷해지려나?

"물소리가 들려."

바림이 말했다. 멀지 않은 곳에 호수가 있을까? 아니면 강.

"계곡이야. 숲이 조용하니까."

아이가 대답했다. 겨울 숲은 고요했다. 아니 평온했다. 물소리가 커서 들리는 것이 아니라 쓸데없는 소음이 사라진 것뿐이었다. 계곡의 뜀박질과 바람의 나부낌, 새의 날갯짓과 가지에 쌓인 눈이 떨어지는 소리. 이 모든 것들이 숲이 살아 숨 쉰다는 증거였다.

"물은 좋겠다."

바림이 심드렁히 말하며 고개를 들었다. 하늘은 금방이라도 눈을 뿌릴 듯 회색 구름을 몰고 왔다. 싸늘한 날씨에 홧홧해진 가슴이 조금은 가라앉았다. 주위는 온통 겨울인데 어디선가 초록의 냄새가 느껴졌다. 그것이 정확히 무엇이냐 묻는다면 대답할 수 없었다. 여름 바다 향기? 숲 향기? 나른하고 뜨거운 공기의 냄새라고나 할까?

"적어도 자신이 가는 방향을 알고 있잖아."

나직이 속삭이자 가슴속에서 꽁꽁 언 것들이 조금씩 사라지는 기분이었다. 바림의 귓가에 물소리가 점점 더 크게 들려왔다. 어디로 가며 어떻게 흘러가는지 물은 알고 있었다. 그러니 단 한 번의 머뭇거림 없이 앞을 향해 달려가는 거겠지. 쉼 없이 거침없이…….

"몰라."

아이가 툭 한마디 내뱉고는 빠르게 덧붙였다.

"물도 모른다고. 자기들이 어디로 흘러가는지. 그냥 가는 거야. 가다 보면 강이 나오고 바다도 나오지 않을까?"

귓가에 찰방 물방울 떨어지는 소리가 들려왔다. 아이가 빗소리를 닮은 음성으로 말했다. 물의 삶이란 그런 것이라고. 그냥 흐르다 보면 어딘가에 도착해 버린다고. 몸의 70퍼센트가 수분이라는데, 그럼 인간의 삶도 그러할까? 여기저기 휩쓸려 살다 보면 어딘가에 도착해 있으려나? 바림의 입가에 힘없는 미소가 지나갔다. 하지만 누구도 자신의 삶에 '그냥'을 붙이지 않는다. 진짜 '그냥' 사는 사람이라 할지라도……. 몸의 대부분이 수분이라지만, 인간이 물처럼 사는 건 어려운 일이다.

산새가 둥지로 돌아가는 사이 회색 구름 사이로 해가 나왔다. 바림의 두 눈이 저절로 간잔지런해졌다. 햇살을 튕겨 내는 눈들이 아침 바다처럼 반짝거렸다. 손끝에 닿은 흰 눈의 감촉이 차가웠다. 이렇게 생생할 수 있다니. 바림이 움켜쥔 눈 알갱이가 손안에서 스르르 녹아 버렸다.

"물은 바다로 가는 게 목표일까?"

바림이 물었다. 아이가 가볍게 어깨를 으쓱해 보였다.

"글쎄? 물에도 목표가 있을까?"

"왜 노래도 있잖아. 강물아 흘러 흘러 어디로 가니? 넓은 세상 보고 싶어 바다로 간다."

"그런 노래가 있구나."

동그란 얼굴이 아! 싶은 표정으로 고개를 끄덕였다. "몰라?"라고 되물으며 바림이 크게 눈을 떴다. 어떻게 이토록 유명한 동요를 모를 수 있을까.

"만약에 강물이 더 넓은 세상을 보고 싶으면, 날면 되잖아."

"날아?"

바림이 물었다. 아이가 싱긋 웃었다.

"구름이 되는 거지."

미처 거기까지는 생각하지 못했다. 물도 날 수 있구나, 아니 물이니까 날아오를 수 있겠구나. 넓은 세상 보고 싶어 구름이 된다. 앞으로는 이렇게 바꿔 불러야 할까. 바림이 미간에 주름을 만들며 곰곰이 생각에 잠겼다.

"그럼 물의 목표는 구름?"

귓가에 짧은 한숨 소리가 들려왔다. 어깨까지 들썩이는 걸 보니, 아이는 질문이 썩 마음에 들지 않은 모양이었다.

"세상에 얼마나 많은 물길이 있는데. 바다로 흘러가려다 나무뿌리에 흡수될 수도 있고, 동물들이 마실 수도 있고."

"새벽에 토끼가 눈 비비고 일어나 세수하러 왔다가 물만 먹고 가지요. 뭐 그것처럼?"

"너 동요 좋아하는구나?"

키득거리는 웃음소리가 바람에 섞여 날아올랐다. "웃지 마."라고 말하며 바림이 허공으로 눈을 돌렸다. 동요를 좋아하는지 알 수 없지만, 아이와 함께 있으니 이상하게 어릴 적 흥얼거리던 노래가 떠올랐다.

"어쨌든, 그럼 물도 자신이 가는 길을 모르겠네."

생각해 보면 물은 절대 정해진 길로만 가지 않았다. 폭우가 쏟아지면 넘쳐흘렀고, 가뭄이 오면 바싹 말라 버렸다. 때로는 인간에 의해 끊겼다 이어지기를 반복했고, 가끔은 흘러가지 못해 한곳에 오랫동안 머무르기도 했다. 세상에 진짜 물길이라 부를만한 곳은 존재하지 않았다. 반대로 물길이 아닌 곳도 없었다.

"모르겠지."

아이가 말했다. 허공을 보던 바림의 시선이 돌아섰다. 머릿속에 나비 한 마리가 날아다니는 기분이었다. 기억날 듯 사라지는 어떤 것……. 아이의 진짜 이름이 가물거렸다.

"너도 모르잖아. 네가 어디로 흘러가는지."

그 한마디가 바림의 멍한 정신을 깨웠다. 투명하고 싸늘한 손이 등허리를 훑어 내려갔다. 멀리서 새가 퍼드덕거리는 날갯짓 소리가 들려왔다. 오토바이의 시끄러운 엔진 소리? 사람들의 고함인가? 그럴 리 없었다. 이곳은 사방이 눈으로 뒤덮인 겨울 숲속이었다. 그런데 이 장면을 언젠가 본 적이 있었다. 그제야 아이의 이름이 기억의 수면 위로 불쑥 솟아올랐다.

"나 너 알아."

바림이 천천히 고개를 돌렸다. 까만 두 눈을 초승달 모양으로 접으며 아이가 웃고 있었다.

"드디어 내가 생각났어?"

"응."

귓가에 차량의 경적 소리가 들려왔다. 쾅쾅 문을 여닫는 소리와 덜그럭 그릇이 부딪치는 소리도 들려왔다.

"이거 꿈이지."

안개가 스러지듯 아이의 얼굴이 빠르게 흩어지기 시작했다. 나뭇가지에 쌓인 눈을 바람이 흩뿌리듯……. 아차 싶었지만 이미 늦어 버렸다. 꿈은 또다시 기억 속으로 숨어들어 남김없이 지워질 것이다. 쏴쏴 물소리에 눈을 뜨자 욕실에서 콧노래 소리가 들려왔다. 그 순간 바림의 가슴 가득 기묘한 감정이 밀려들었다. 잠이 깨기 무섭게 사라진 꿈인데도, 반복적으로 꾸고 있다는 사실만은 자각할 수 있었다. 굳이 설명하자면 기억이 아닌 느낌으로 알 수 있는 꿈?

겨울 햇살이 블라인드 사이를 비집고 들어왔다. 바림이 허공에 두 손을 들어 보았다. 그새 오른손은 눈에 띄게 부어 있었다. 손가락을 움직이기 무섭게 통증이 머릿속을 찔러 댔다.

"아씨, 진짜."

그것이 아픔 때문인지, 사라져 버린 꿈 때문인지는 알 수 없었다. 바림은 끙 소리를 내며 몸을 일으키고는 침대를 빠져나왔다. 여전히 잠에 젖어 있는 시선은 습관처럼 책상을 더듬었다. 그 위에는 드로잉 노트가 구겨진 채 널브러져 있었다. 부러진 연필을 보니 저절로 헛웃음이 흘러나왔다. 이 손으로 용케 부러뜨렸구나. 바림이 벌컥 문을 열어젖혔다. 거실 가득 싸늘한 공기가 고여 있었다. 엄마는 환기를 위해 아침마다 베란다 문을 열어 놓았다.

"방학인데도 부지런하네. 우리 딸."

엄마가 욕실에서 나오며 말했다. 바림이 주방에 들어가 정수기 물을 따라 마셨다.

램프 블랙

색상 코드 **#383532**

"인대가 많이 늘어났습니다. 이 정도면 통증이 상당했을 텐데요."

손가락을 보며 의사가 말했다. 통통 부어오른 오른손 검지와 중지는 결국 푸르게 변해 갔다. 그런데 통증이 상당한 곳이 어디 손가락뿐일까? 결리고 아픈 목과 어깨 통증은, 아침에 일어나 화장실을 가는 것처럼 익숙한 것들이었다.

아이들은 곧잘 손목을 돌리며 "비님이 오시려나. 손목이 시큰거리네."라고 말했다. 일흔이나 여든도 아닌 열여덟의 입에서 나온 말이지만, 절대 농담일 수 없었다.

"눈길에 미끄러졌다고 했죠?"

의사가 물었다. 바림이 고개를 끄덕였다. 폭설이 내렸다.

한파도 몰아쳤다. 내린 눈은 곧바로 얼음이 되어 곳곳에 미끄럼 지뢰를 설치했다. 빙판길에 모래와 염화칼슘을 뿌렸지만, 사람들은 성큼성큼 발을 내딛지 못했다. 오르막길이라면 더더욱. 학원 앞을 지나던 오토바이가 아슬아슬한 모습으로 코너를 돌다 기어이 미끄러졌다. 넘어진 배달원이 벌떡 일어나 뒷자리 음식부터 살폈다. 사람보다 식지 않은 피자가 몇 배 더 중요한 세상이었다.

"인대 늘어난 거 쉽게 생각하면 안 됩니다. 잘못 관리했다가는 염증도 생기고 고질병 돼요. 불편하시더라도 당분간 손가락은 사용하시면 안 됩니다."

"얼마나요?"

물은 건 바림이 아닌 엄마였다.

"2주 정도는 쓰시면 안 됩니다. 약은 우선 일주일 치만 처방해 드리겠습니다. 그 뒤에……."

"2주요?"

처방전을 입력하던 의사가 고개를 들었다. 가늘고 긴 두 눈에 물음표가 선명했다.

"학생들 방학하지 않았나요? 공부할 때 불편하겠지만 어쩔 수 없어요."

"아니, 실은 우리 애가……."

"엄마!"

바림이 황급히 막아섰다. 타닥타닥 울리던 키보드가 멈췄다. 의사와 엄마 두 사람의 시선이 한곳으로 모였다. 바림이 고개를 숙인 채 가만히 손가락을 움직였다. 찌릿한 통증이 뇌리를 관통하고, 미간에 저절로 주름이 잡혔다.

"말했잖아요. 손가락 움직이면 안 된다니까."

의사가 짜증 섞인 표정으로 소리쳤다. 엄마가 툭 딸의 어깨를 때렸다. 앞으로 2주 동안 오른손은 쓸 수 없었다. 늘어진 인대와 손가락의 부기가 가라앉으면 그땐 다시 움직일 수 있을까? 바림의 입가에 씁쓸한 미소가 지나갔다.

인대가 늘어난 손가락은 부목을 덧대어 붕대로 고정했다. 몇 가지 주의 사항을 들은 후 근육 이완제와 소염제를 처방받았다.

"같이 들어갈래?"

"아니."

"그럼 추우니까 먼저 차에 가 있어."

엄마가 처방전을 손에 쥔 채 약국 문을 열었다. 바림은 뒤돌아 주차장으로 걸음을 옮겼다. 새해도 벌써 일주일이 지났다. 방학이지만 등교만 하지 않을 뿐 일과는 크게 다르지 않았다. 붕대를 감은 손을 보며 바림이 짧은 한숨을 내쉬었다.

누가 보면 손가락이라도 부러진 줄 알겠지? 누군가의 목소리가 찬바람 속에 섞여 있는 듯했다.

"그러게 너 왜 평소답지 않게 슬리퍼를 신고 나왔어? 안 그래도 죄다 빙판길인데. 내가 잘못했다. 내가 죄인이야. 그냥 혼자 다녀오는 건데. 괜히 너까지 끌고 가서. 정말 미안해."

해미가 미안해할 일은 없었다. 한 박자 늦게 따라나선 건 분명 바림이었다. 건물을 빠져나왔을 때야 슬리퍼 차림이라는 것을 알았다. 길이 미끄러웠지만 설마 싶었다. 그 '설마'의 결과는 생각보다 심각했다.

"문 열어 놨잖아. 추운데 차에 들어가 있지 않고."

멀리서 엄마의 목소리가 들려왔다. 차 문을 열던 바림의 손이 허공에서 멈췄다. 습관처럼 뻗은 오른손에는 하얀 붕대가 감겨 있었다.

"나쁘지 않네."

바림이 왼손으로 차 문을 열었다. 조수석에 앉기 무섭게 진한 나무 냄새가 밀려들었다. 처음에는 통증 때문에 느끼지 못했는데 낯선 나무 인형이 룸 미러에 매달려 있었다.

"이거 뭐야?"

"뭐?"

엄마가 운전석에 앉으며 되물었다. 바림이 손끝으로 톡 나무 인형을 건드렸다.

"아, 이거? 엄마 친구가 선물 준 거야. 향 좋지? 아는 사람이 목공예를 한다고 그랬나? 공방에 들러 사 왔대. 무슨 향나무 종류라고 하던데 들어도 금방 까먹어."

"나무 냄새 나. 진한 여름 숲 향기."

"방향제보다 훨씬 좋지?"

바림이 물끄러미 나무 인형을 바라보았다. 차가 움직일 적마다 춤추는 꼬마가 귀여웠다. 저 작은 몸에서 싱그러운 향기가 뿜어져 나오다니, 마냥 신기하게 느껴졌다.

"이왕 이렇게 된 거 우리 좋은 쪽으로 생각하자. 요즘은 예전과 달라서 예체능도 공부가 뒷받침되지 않으면 말짱 꽝이야. 그냥 아무 생각 말고 우선 인강 들으면서 내신에 신경 써."

말짱 꽝이라는 한마디가 송곳처럼 바림의 가슴을 찔렀다.

'채색에서 집중할 부분은 대상보다 더 사실적으로 색을 뽑아내는 거야. 무슨 말인지 알겠지? 네가 보는 파란색 유리컵보다 더 강한 채도로 표현해야 해. 처음에는 실제보다 더 채도가 높은 색으로 시작하는 게 좋아. 중간 명도는 울트라 머린에 램프 블랙을 약간 섞어서 이렇게…….'

차가 방지 턱을 넘자 나무 인형이 춤을 췄다. 바림의 시선이 창밖으로 향했다. 겨울은 채도가 낮은 계절이었다. 원색이 사라진 세상은 공기 중에 검은 물방울이 떠다니는 것 같았다.

"우리 딸 왜 대답이 없어?"

엄마가 물었다. 차창에 시선을 둔 채 바림이 대답했다.

"해미도 그러더라. 차라리 잘됐다고 이참에 쉬래."

"차라리 잘된 건 아니지. 그래도 해미한테 괜히 마음 쓰지 말라 해."

창밖에 묶여 있던 눈이 엄마에게로 돌아섰다.

"마음?"

"약국에서 기다리는데 해미 엄마한테 전화 왔었어. 해미가 너 다친 거 자기 때문이라며 울고불고했나 봐. 걔가 어릴 적부터 정도 많고 눈물도 많았잖아."

해미는 유치원부터 초등학교와 중학교까지 입학과 졸업을 함께한 친구다. 중학교 3학년 때 해미네가 이사한 탓에 고등학교는 다른 곳으로 배정받았다. 그래봤자 바림의 학교에서 걸어서 십 분 거리이고, 늘 붙어 다니는 두 사람은 친구보다 자매에 가까웠다. 그런 해미와 이제는 입시 미술 학원까지 같이 다니게 되었다니, 잘된 일인지 어떤지는 바림도 알 수 없었다.

'정말 미안해, 내가 괜히 밖에 나가자 해서. 너 슬리퍼라도 갈아 신겨야 했는데.'

해미는 유독 단것을 좋아했다. 몇 시간씩 붓끝에 신경을 모으면, 온몸이 아무렇게나 구겨진 종이처럼 바스락거렸다. 뻑뻑해진 눈과 손목 통증, 시멘트를 발라 놓은 듯 무거운 목덜미에 입에선 저절로 앓는 소리가 튀어나왔다.

잠깐 쉬자는 선생님의 한마디에 해미가 목을 좌우로 움직였다.

"나는 언제 한바림처럼 그릴 수 있을까?"

"금속이야? 금속은 하이라이트만 남겨 놓고 툭툭 무심하게 칠해야 질감이 느껴져. 너무 꼼꼼하게 칠하려 하면 오히려 무거운 느낌이 사라진다고."

"야, 최첨단 시대에 내 그림처럼 가벼워 보이는 금속이 나오지 않겠냐? 이래 봬도 되게 미래 지향적인 작품이야. 알아?"

해미가 장난기 가득한 얼굴로 말했다. 바림이 풋 웃음을 터트렸다.

"재미있어?"

바림이 물었다.

"나쁘지 않아."

해미가 대답했다. 그림을 그리는 데 나이는 중요치 않다. 그러나 그 세계가 입시 미술로 좁혀지면 이야기는 조금 달라진다. 해미는 고등학교 2학년 여름 방학에 처음 학원 문을 열었다. 늦었다 단정 지을 수 없지만, 알맞은 시기라고도 말할 수 없었다.

"야, 솔직히 역사로 따지면 말이야. 미술은 바림이 너보다 내가 먼저 시작했어."

해미는 진지한 표정으로 장난처럼 말하는 재주가 있었다. 하지만 전혀 틀린 말은 아니었다. 처음 미술을 시작한 건, 분명 해미였다. 그로부터 3개월 뒤 바림이 엄마와 함께 학원을 찾았다. 지금으로부터 10여 년 전 초등학교 1학년 때 일이었다. 하지만 두 사람이 함께 다닌 기간은 1년이 채 되지 않았다. 해미는 2학년이 되기 무섭게 학원을 그만두었으니까. 그 시절 어린 해미는 상상이나 했을까? 자신이 9년 후 다시 미술을 시작하게 되리라는 걸. 아마 전혀 예상치 못했을 것이다. 엄마 손을 잡고 처음 미술 학원의 문을 연 바림 역시 상상하지 못했다. 자신이 그 이후로도 쭉 미술을 하게 되리라는 사실을. 결국 미대로 진로를 정하게 되리라고는……. 그 생각이 들자 입에서 피식피식 헛웃음이 흘러나왔다.

"얘가 미쳤나? 갑자기 왜 실실 웃어? 안 되겠다. 뭐라도 먹어야지. 바림아, 우리 편의점 갔다 오자. 너도 배고파서 그래. 저 아래 편의점 초콜릿 2 플러스 1 행사해."

"추워서 나가기 싫어. 혼자 다녀와."

"너는 머리도 안 아프냐? 잠깐 바람 좀 쐬고 오자."

해미가 배고픈 아이처럼 졸라 댔다. 바림이 모른 척 물통에 붓을 씻었다. 엊그제 폭설이 내렸는데 한파까지 몰아닥쳤다. 밖에 5분만 서 있어도 머릿속까지 꽝꽝 얼어 버릴 추위였다.

"그럼 뭐 먹고 싶은 건 없어?"

"없습니다. 길 미끄러워, 조심히 다녀와."

해미가 외투를 집어 들고는 몸을 돌려세웠다. 바림의 시선이 까딱까딱 끌려가는 낡은 슬리퍼에 닿았다. 운동화로 갈아 신은 해미가 힘껏 유리문을 밀었다. 문이 열리기 무섭게 차가운 냉기가 들이닥쳤다. 공기의 변화만으로도 밖의 날씨를 알 수 있었다. 유리문이 닫히고 복도를 걸어가는 해미의 뒷모습이 멀어져 갔다. 바림이 놀란 토끼처럼 자리에서 일어났다.

"해미야, 나도 같이 가."

갑자기 허기가 무섭게 밀려들었다. 뭐라도 먹지 않으면 아무것도 할 수 없을 것 같았다. 해미가 좋아하는 초콜릿이 2 플러스 1이라고 했으니 함께 사는 것도 괜찮을 것이다. 바림이 해미를 쫓아 복도를 뛰기 시작했다. 낡은 슬리퍼에서 달각달각 말발굽 소리가 났다.

"해미가 엄청 속상해한대. 겨울 방학이고 중요한 시기니까."

엄마의 목소리가 멍한 정신을 깨웠다.

"중요한 시기?"

"그럼 아니니? 너도 전에 그랬잖아. 벌써 고 2라서 초조하다고."

언제 그런 소리를 했을까. 아마 수없이 했을 것이다. 중요한 시기이니 집중해야 한다고. 몇 번이나 강조했겠지.

"그래도 너무 스트레스받지 마. 해미 말처럼 쉬면서 부족했던 부분을 공부하는 것도 좋을 거야. 구도나 연출 공부해. 재현작 많이 연구하고. 미술은 그리는 일도 중요하지만, 작품 분석도 중요하잖아."

"엄마 말이 더 스트레스다."

엄마가 핸들을 돌리며 조수석을 곁눈질했다. 살짝 흘겨보았다는 것이 더 맞을 것이다. 바림이 싸늘한 시선을 피해 창 밖으로 고개를 돌렸다. 자꾸만 가슴이 두근거리고 입술이 말라 갔다. 문제는 그 초조함의 이유를 도저히 뱉어 낼 수 없다는 것이다.

"엄마, 해미가 나보고 슬럼프래."

"열심히 해서 그래."

내가 열심히 했나? 바림은 자문해 보았지만, 이내 고개를 내저었다. 다른 사람 눈에는 열심히 하는 것처럼 보였을까. 어쩌면 그랬을지도 몰랐다.

겨울 방학이 시작되자 누구보다 일찍 학원에 갔다. 아무도 없는 텅 빈 곳에 앉아 멍하니 벽에 걸린 그림들을 바라보았다. 그 속에는 바림의 그림도, 다른 친구들의 작품도 붙어 있었다. 그것들을 하나둘 눈으로 훑으면 알 수 없는 슬픔이 밀려들었다. 자동 연필깎이처럼, 가슴에 동그란 구멍이 생긴 기분이었다. 완벽한 그림 앞에서의 질투도, 서툰 그림을 보며 느꼈던 안타까움도 가슴 속 구멍으로 남김없이 빠져나가 버렸다. 기분도 감정도 몸의 감각마저도 모두 사라진 것 같았다.

바림이 자리에서 일어나 팔레트와 물통을 들고는 화실을

나갔다. 화장실 세면대에서 물감으로 얼룩진 팔레트와 물통을 닦고 또 닦았다. 물감의 흔적이 지워지면, 어지러운 마음도 차분해질 수 있을까. 답답한 미로에서 벗어나 다시 길을 찾을 수 있을까.

아무리 자리를 청소하고 깨끗해진 팔레트에 물감을 짜 놓아도, 연필을 일일이 손으로 깎아 보아도, 어지럽게 헝클어진 마음이 제자리를 찾아가지 못했다.

"한바림, 너 지금 몇 신데 아직도 스케치를 못 끝냈어? 못한 거야? 안 한 거야? 새 마음으로 자리까지 깨끗하게 정리했으면, 가장 중요한 그림에 집중해야지."

"이게 뭐야? 유리는 그러데이션 살려서 한번에 잡아 주라고 했잖아. 누가 이렇게 덧칠하래? 너 요즘 왜 이렇게 붓질이 엉망이야. 빛이랑 어둠도 확실히 못 잡고? 너무 초보적인 실수잖아."

연필은 쇳덩어리처럼 무거웠고 붓은 제멋대로 종이 위에 물감을 흩뿌렸다. 주제부 연출을 어떻게 잡아야 하는지, 채색은 어디서부터 시작해야 하는지, 암부와 명부는 어떻게 구분해야 하는지, 가장 기초적인 것조차 생각나지 않았다. 갈 곳을 잃은 붓은 오랫동안 허공에서 움직이지 못했다.

"바림아, 무슨 생각을 그렇게 해?"

엄마의 목소리가 멍한 정신을 깨웠다. 바림이 차창으로 고개를 돌렸다. 차가 2차선으로 들어서자 양옆으로 아파트 단지가 보였다. 겨울 햇살이 내리쬐는 인도에 자전거를 탄 아이와 양손에 종이 가방을 쥔 남자가 보였다. 길 건너 마트에는 사과 상자와 배 상자가 사람 키만큼 쌓여 있었다.

"엄마, 마트 세일한대."

"몰라? 저 마트 365일 세일하는 거."

집 근처 마트였다. 언제 마지막으로 왔는지 전혀 기억나지 않았다.

"저기에 아직도 그거 팔까?"

바림이 혼잣말처럼 중얼거렸다.

"오 마이 초코."

"오 마이 초코?"라며 되묻던 엄마가 작게 탄성을 질렀다.

"아! 너 어릴 때 만들어 먹었던 거 말이지?"

힘주어 누르면 튜브에서 초콜릿이 나오는 제품이었다. 입에 짜 넣거나, 과일이나 과자에 발라 먹기도 했다. 진짜 핵심은 초콜릿으로 원하는 모형을 그려 냉동실에 얼려 먹는 것이다. '오 마이 초코'란 제품명은 그냥 붙인 게 아니었다.

"뭐 아직도 팔지 않을까? 너 옛날에 초콜릿으로 로켓이니

호랑이니 열심히 그렸지? 그거 얼 때까지 기다리느라 냉동실 문을 몇 번이나 열었는지 알아? 그 과잣값보다 전기세가 더 나왔을 거다. 하긴 우리 딸은 그때부터 예술에 제법 조예가 깊으셨지?"

어린 바림은 초콜릿을 냉동실에 넣기 무섭게 문을 열었다. 이제 됐을까? 하며 만져 본 호랑이는 결국 엉망으로 일그러져 버렸다. 로켓의 날개도 부숴 버리고, 할머니 귀도 뭉개 버렸으며 자동차 보닛도 찌그러뜨렸다. 그렇게 완성된 초콜릿은 기존의 형식을 파괴한, 해미의 말을 빌려 대단히 아방가르드한 작품으로 태어났다.

"맞아. 나 어릴 적에 그랬지."

차가 아파트 주차장에 멈춰 섰다. 춤추는 나무 인형에서는 여전히 숲 향기가 풍겨 나왔다. 눈앞에 환영처럼 푸르른 여름날이 스쳐 지났다.

평소라면 학원에 있어야 할 시간이었다. 방 안에 우두커니 앉아 있으니 기분이 이상했다. 갑자기 공간 이동이라도 한 듯 얼떨떨한 느낌이었다. 바림이 책장에 꽂힌 책을 눈으로 훑었다. 《소묘 정물 수채화》, 《형태의 완성》, 《색의 세계》, 《컬러의 언어》, 《미술로 읽는 세계사》, 《입시생을 위한 약화사전》…….

사 놓고 한 번도 들춰 보지 않은 책들도 많았다. 언제 샀는지 모를 것들도 있었다. 소설과 에세이, 만화책과 사진집, 일러스트 아트북도 보였다. 벽에 걸린 상장들이 액자 안에서 전등 빛을 튕겨 냈다.

"인대가 늘어났대. 2주 동안은 오른손 쓰면 안 돼. 우리 착한 딸 덕분에 나도 금요일에 휴가 한번 써 봤다. 원래 팀장이 없어야 팀원들이 더 잘하는 법이잖아. 됐어요. 당신 오면 갑자기 바림이 손이 멀쩡해지나? 며칠 안 남았어. 진득하니 일이나 봐. 감귤 초콜릿은 사 오지 마. 저번에 내 친구가 제주도 다녀오면서 선인장꽃차를 사 왔거든. 향 좋더라. 그거 있으면 사 와.

아까 바림이 학원 선생님이랑 통화했어. 특강비는 환불해 주겠다고 하는데, 지금 돈이 문제가 아니잖아. 어쨌든 기초는 확실히 잡혀 있으니까 너무 걱정하지 말라고 하지. 그나마 고3 여름이 아니라서 얼마나 다행이야. 내신이나 다져 놓아야지 뭐. 이참에 아예 학원을 옮겨 볼까? 바림이가 선생님들 실력 있고 자기랑 잘 맞는다고 해서 보낸 거잖아. 그런데 학원 규모도 작고, 선생님들도 은근히 무른 것 같아. 집에서 가까운 것 빼면 좀 별로야. 이왕 이렇게 된 거 더 큰 학원을 알아보는 것도 좋을 것 같아. 그런 의미에서는 잘됐다 싶기도

하고. 어쨌든 심각하게 생각해 봐야겠어.

참, 강여울한테 부탁한 건 잘 됐어? 메일 받았다고? 잘 해결됐다니 다행이네. 강여울이 뭐라는 줄 알아? 역시 소고기는 얻어먹으면 안 된대. 당신이 비싼 한우 사 줄 때부터 알아봤다나? 작업비? 얼마 줄 건데? 걔가 소속된 에이전트에 문의해 봐, 얼마 줘야 하는지. 알았어. 조심하고 내일 전화할게."

엄마가 무거운 한숨과 함께 전화를 끊었다. 아빠는 지금 제주도 어디쯤일까? 1월의 제주도는 오래전 보았던 투명한 물빛을 간직하고 있을까. 단순히 파란색이라고 말할 수 없었던 바다가 세상 끝까지 펼쳐져 있던 곳…….

"한바림, 우리 오랜만에 중식 시켜 먹을까?"

빠금히 열린 문틈으로 엄마의 목소리가 흘러들었다.

"엄마 먹고 싶은 거 아무거나 시켜."

바림이 소리치고는 노트북 전원을 눌렀다. 적어도 2주간은 붓을 쥘 수 없었다. 2주 후면 다시 그림을 그릴 수 있을까. 해미는 이참에 푹 쉬라 했다. 엄마는 내신을 다져 놓을 좋은 기회라 했다. 2주가 지나면 그 뒤에는 학원에 돌아갈 수 있겠지. 단순한 슬럼프라면 분명 그래야 할 것이다. 정말 오랫동안 그림을 그려 왔으니까. 그것밖에 더는 할 수 있는 게 없으니까.

머릿속 추가 이리저리 움직이는 기분이었다. 그 끝에 매달린 생각이 왼쪽에서 오른쪽으로 다시 오른쪽에서 왼쪽으로 진자 운동을 했다. 어지러운 생각들을 털어 내려 바림이 고개를 내저었다. 화면이 열리고 마우스로 향하던 손이 허공에서 멈췄다. 당분간 오른손은 사용할 수 없는데 그새 잊어버렸다.

"인강이나 듣자."

사이트에 접속한 뒤 독수리 타법으로 아이디와 비번을 눌렀다. 그러고는 책상 위에 국어 문제집을 펼쳐 놓았다. 강의 버튼을 누르기 전 잠시 주위를 두리번거렸다. 책가방은 소파에 있었고 필통을 찾으려면 다시 거실로 나가야 했다. 필기는 힘들겠지만, 중요 표시 정도는 왼손으로도 얼마든지 가능했다. 우선 필기구부터 찾아야 했다.

평소라면 손 감각만으로 책상 서랍 속 형광펜을 찾았을 것이다.

"은근 불편하네."

바림이 쪼그려 앉아 서랍 안을 살폈다. 포스트잇과 편지지, 오래전 사용했던 통장과 작은 헝겊 주머니, 지우개와 플라스틱 부채까지 있었다. 어딘가에 분명 형광펜이 굴러다닐 것이다.

"분명히 넣어 놨는데."

서랍은 미련과 무관심의 공간이었다. 유행 지난 고가의 겨울 코트처럼 버리자니 아깝고 다시 사용하기엔 낡은 것들의 집합소였다. 그것이 비단 서랍 속 잡동사니에만 한정된 것일까? 버리자니 아깝고 다시 사용하기엔 낡은 것은 어쩌면 쌓아 올린 시간인지도 몰랐다. 지금까지 살아온 하루하루의 삶과 헛된 희망 같은 것 말이다.

"이 수첩은 또 언제 거야."

책상 서랍은 기묘한 곳이었다. 매일처럼 여닫기를 반복해도 자세히 들여다본 적이 없었다. 손바닥보다 작은 종이봉투에 중학교 때 찍은 증명사진이 들어 있었다. 앳된 얼굴이 경직된 표정으로 바림을 바라보았다. 언제, 무슨 이유로 찍었는지조차 기억나지 않았다. 서랍 속을 다시 뒤적이자 공책 사이에 낀 형광펜이 보였다.

"맞다. 그때 공책도 샀었지?"

그 순간 손끝에 차가운 것이 느껴졌다. 딱딱하고 매끈매끈한 감촉이 기억에서도 희미해진 어느 날을 불러들였다. 바림이 천천히 그것을 끄집어냈다. 반쯤 닳아 몽땅해진 크레파스 한 개. 이게 왜 서랍에 있는지 알 수 없었다. 그러나 오랜 친구를 만난 듯 반가웠다. 파란색 크레파스에 삐뚤빼뚤하게 한바림이라 쓰여 있었다.

"왜 너 혼자 여기 있냐?"

코끝으로 크레파스의 싸한 냄새가 느껴졌다. 끝부분이 뭉툭한 것으로 보아 정말 열심히 색칠한 모양이었다. 하늘을 칠했을까? 아니면 바다? 파란색 지붕? 바림이 가만히 크레파스를 바라보는데 어떤 기억 하나가 뇌리를 스쳤다. 하지만 정확히 무엇인지 알 수 없었다. 아침이면 사라지는 꿈속처럼 떠오를 듯 지워지는 무언가가 수면에 떨어진 돌멩이처럼 가슴을 건드렸다.

"무슨 생각으로 그린 거야? 지금 빛하고 어둠 하나도 안 잡혔어. 빛이 어디서 들어오는데 그림자가 이 모양이야? 연출도 너무 밋밋하잖아. 여기 운동화가……."

선생님이 말을 멈추고 안경을 벗었다. 피로에 지친 두 눈이 애써 짜증을 지워 내려 했다.

"우리 바림이 곧 고3 되니까 그렇지? 알아, 초조하고 불안하고 신경 예민해지는 거. 실기 준비만 해도 힘들어 죽겠는데, 내신 신경 써야 하지, 수능까지 생각해야지. 다른 애들보다 머리 터지려고 하는 거 잘 알아. 그러다 보면 괜히 안 하던 실수…….”

“그림 그리기 싫어졌어요.”

바림이 물감으로 얼룩진 앞치마를 움켜잡았다. 싫다는 한 마디를 내뱉자 가슴이 쿵 하고 내려앉았다. 왜 싫어졌냐고 물으면 뭐라 대답하지? 머릿속이 까맣게 물들어 갔다. 선생님은 손에 쥔 그림을 보며 큰 소리로 웃었다.

“인마. 학원에 아무나 붙잡고 그림 그리는 게 좋냐고 물어 봐. 다들 미친 사람 보듯 쳐다볼 걸? 그래도 어쩌냐? 힘들어도 해야지. 너는 또 어려서부터 미술 했잖아. 입시 미술이 다 그래. 지루하고 재미없는 거 나도 잘 알아. 우리 조금만 참자. 거의 다 왔으니까. 대학 가면 네가 그리고 싶은 그림 실컷 그릴 수 있으니까.”

“대학 가서도 그림 그리기 싫으면요.”

“그건 대학에나 붙고 고민하세요. 오늘은 여기까지 하고 내일 다시 시작하자. 오늘은 집에 가서 푹 쉬어.”

선생님이 자리에서 일어나 가볍게 어깨를 다독였다. 상담실을 나서는 뒷모습을 보며 바림이 움켜쥔 앞치마를 놓았다. 만약 미대에 가기 싫다고 하면 선생님은 뭐라 대답할까? 굳이 물어볼 필요도 없었다. 명확한 수학 공식처럼 답은 이미 나와 있으니까.

언제부터 그림이 좋아졌는지 기억할 수 없었다. 해미가 미술 학원에서 만들었다는 크리스마스카드를 자랑했을 때? 미술 학원 창에 붙은 기린과 코끼리를 봤을 때? 미술을 시작한 계기 따위는 전혀 중요치 않았다. 어쨌든 바림은 오래전 그 세계에 발을 들여놓았으니까. 그럼 싫어진 계기 역시 그리 중요한 문제가 아니지 않을까?

"미쳤구나? 그냥 갑자기 그만둔다고? 그게 말이 돼? 이제와 그림 포기하면 너 뭐 하려고? 지금까지 해 온 게 아깝지도 않아?"

아무도 없는 상담실에 주인 없는 소리가 오랫동안 메아리쳤다.

선생님과 이런 대화를 나눈 지도 벌써 2주가 지났다.

바림이 자리에서 일어나 방문을 열어젖혔다.

"많이 불편하지? 그래도 부러지지 않은 게 어디야. 그런데 너 왼손으로 젓가락질할 수 있겠어? 다른 거 시킬까? 초밥도 괜찮겠다. 세상에 맛있는 게 왜 이렇게 많니."

엄마가 배달 앱에서 메뉴를 고르며 말했다.

"엄마, 있잖아."

"역시 중식은 너무 기름지겠지? 오랜만에 둘만의 점심인데 더 근사한 거 먹을까?"

"나 갈래."

"나가서 먹자고? 괜찮겠어?"

"아니, 나가서 먹자는 게 아니라. 나 시골 간다고."

엄마가 멍한 표정으로 두 눈을 끔뻑거렸다.

"뭐라고?"

이해 못 한 사람은 정작 바림이었다. 갑자기 왜 시골이 튀어나왔는지 알 수 없었다. 다만 어쩐지 그래야만 할 것 같았다. 파란색 크레파스와 나무 인형에서 풍기던 숲 향기와 한동안 쓸 수 없는 오른손이 하나의 덩어리가 되어 가슴을 짓눌렀다.

"시골……이라니?"

"할머니, 아니 이모한테."

"경진?"

엄마가 '시' 음으로 소리쳤다. 바림이 크게 고개를 주억거렸다. 어차피 그림도 그릴 수 없는데, 굳이 집에 있을 필요가 없었다. 적어도 올겨울만큼은 진짜 방학답게 보낼 수 있다. 보낼 수밖에 없다는 말이 더 맞겠지만…….

페인즈 그레이

색상 코드 #384452

옛날 한 스님이 산길을 걷다 목이 말라 쉬어 가기로 했다. 때마침 하얀 까마귀가 나타나 인사를 하고는 날아올랐는데 하얀 깃털 하나가 떨어졌다. 그곳은 유독 흙이 축축했다. 혹시나 하는 마음에 땅을 파 보니 맑은 물이 흘러나왔다. 달게 목을 축인 스님은 그곳의 영험함을 믿고 작은 암자를 지었다. 그 절 이름이 하얀 까마귀를 뜻하는 백오사가 되었고, 사람들은 그 산을 백오산이라 불렀다.

또 다른 버전에서는 하얀 까마귀 대신 흰 호랑이가 나타났다. 호랑이가 가르쳐 준 곳을 파 보니 이번에도 맑은 물이 나왔다. 스님이 지은 절은 백호사가 되었는데 백호가 발음하기 쉬운 백오가 되었다는 설도 있다. 스님이 처음 땅을 판 곳에서 흘러나온 물줄기가 백오산의 깊고 맑은 계곡을 만들었고, 절터가 사라진 곳에는 만병을 치료해 준다는 약수터가 들어섰다. 그 주변에 하나둘 쌓아 올린 돌탑들은 시간이 지날수록 그 수가 늘어났다.

이것이 주한시 경진읍에 위치한 백오산의 전설이다. 백오산 계곡은 아무리 추운 날씨에도 얼지 않으며 맑고 깨끗하기로 유명했다. 경진읍은 약수로 만든 두부가 일품이었다. 봄과 가을 곱게 단장한 산을 벗 삼아 두부 요리를 즐기러 오는 관광객들이 많았다. 사찰이 있었다는 역사적 증거는 찾을 수 없지만, 마을 사람들은 백오산을 신성하게 여겼다. 관광객이 썰물처럼 빠져나가면 모두 함께 산에 올라 버려진 쓰레기와 오물을 수거했다. 이제는 유명 관광 코스가 된 소원의 돌탑 주변도 정성스레 청소했다. 마을 사람들은 돌탑에 돌멩이를 얹으며 기도를 드렸고 가족의 건강과 삶의 무탈, 합격과 번영을 두 손 모아 기원했다.

"갑자기 웬 경진에 가겠다는 거야?"

엄마가 튀김을 먹으며 말했다. 중식과 일식을 넘나들던 메뉴는 엉뚱한 분식이 되어 있었다. 오른손이 자유롭지 못한 딸을 위해 엄마가 친히 선택한 음식이었다.

"집에 있으니까 마음이 심란해. 어차피 인강으로 공부할 거잖아. 시골에 가서도 충분히 할 수 있어."

"하긴 집에 잔뜩 있는 게 미술 도군데 괜히 보고 있으면 마음만 심란하지."

작업 대부분은 학원에서 이루어졌다. 책상도 비좁거니와 학원에서 쓰던 도구들을 일일이 옮겨 올 수도 없었다. 집에서의 작업이라 해 봤자 스케치와 구도와 연출 연구 정도였다. 하지만 방에 잔뜩 꽂혀 있는 미술 관련 책들이 보기 싫었다. 그것이 당분간 붓을 잡을 수 없는 오른손 때문인지는 바림도 정확히 알 수 없었다.

"이모한테 방해되려나?"

"웬만한 작업은 다 마무리됐다고 했어. 그러니까 네 아빠 부탁도 들어준 거지."

엄마가 식탁에 젓가락을 내려놓았다.

"그럼 엄마랑 내일 이모한테 갔다가 하룻밤 자고 올까?"

"아니, 나 며칠 지내다 올래."

'며칠?'이라고 묻듯 엄마가 두 눈을 크게 떴다.

"몰라. 아무튼 1박 2일은 아니야."

왜 갑자기 시골에 가고 싶을까? 이번에도 명확하게 답할 수 없었다. 하지만 단순히 머리를 식히기 위한 기분 전환 여행은 싫었다. 바림의 시선이 붕대 감긴 오른손에 닿았다. 이 손이 다 나으면 그때 돌아올 수 있을까. 다시 전처럼 붓을 잡게 되면 괜찮아질까. 잡동사니 가득한 서랍처럼 머릿속이 어지러웠다.

"우선 이모한테 물어볼게. 조용한 곳에서 공부하는 것도 나쁘진 않겠지만……."

엄마가 젓가락을 들며 말을 이었다.

"그런데 불편하지 않겠어? 거기 진짜 아무것도 없어."

"나 예전에 방학이면 놀러 갔잖아."

"그때가 언젠데."

엄마가 김밥을 우물거렸다. 바림이 튀김만두 하나를 베어 물었다. 귓가에 아삭 소리가 들려왔다. 생각해 보면 김밥과 만두처럼 손이 많이 가는 음식도 없었다. 준비부터 들어가는 속 재료까지 만만치 않으니까. 요즘에야 공장에서 자동으로 완성된다지만, 여전히 사람이 일일이 손으로 빚는 곳도 많았다.

"만드는 노력에 비해 먹는 건 너무 간단하네."

"뭐가?"

엄마가 물었다. 바림이 젓가락으로 김밥과 만두를 가리켰다.

"만두 한 번 제대로 해 먹으려면 준비할 것 많잖아. 김밥도 그렇고."

속에 들어갈 재료 준비부터가 만만치 않은 작업이다. 만두소가 완성되면 밀가루를 반죽한 후, 밀대로 곱게 펴 피를 만든 다음 하나둘 형태를 만든다. 다 빚은 만두를 솥에 찌거나 기름에 튀기면 드디어 완성이다. 정말이지 복잡하고 지루한 노력이 아닐 수 없다. 하지만 먹을 때는 너무 간단해 허탈하기까지 하다. 엄마가 소리 없이 웃으며 바림의 말을 받았다.

"사는 것도 똑같아. 열심히 준비했는데 허무하게 끝날 때가 많아. 각종 시험부터가 그렇잖아. 몇 년 공부해 단 몇 시간 안에 판가름 나. 생각하니 정말 허무하네! 아, 만두 같은 인생이 가끔 억울할 때도 있겠지만, 그래도 어쩌겠냐? 이왕 만드는 것 예쁘고 먹음직스럽게 만들어야 잘 팔리지 않겠어? 그러니까 너도 정신 바짝 차리고 하라는 거야. 에이, 또 얘기하니 네 할머니 생각난다. 만두 참 예쁘게 빚으셨는데. 하긴 네 할머니가 못하는 게 어디 있었니?"

할머니를 떠올리는 엄마의 입가에 씁쓸한 미소가 머물다 사라졌다. 두 딸을 홀로 키워 낸 할머니의 삶은 마지막이 너무 허무했다. 왜 삶의 문제는 언제나 갑작스레 찾아올까? 높은 파고가 되어 덮친 불행 앞에 인간은 아무것도 대비할 수 없었다. 왜라는 질문조차 무가치하게 만들었다. 바림이 잘근잘근 아랫입술을 짓씹었다.

"야, 그러니까 우리는 삶을 좀 더 알록달록하게 예쁘고 다양하게 빚자. 똑같은 김밥도 소고기가 들어갔느냐 참치가 들어갔느냐에 따라 가격이 천차만별이잖아?"

엄마가 김밥을 입에 넣으며 말했다. 아삭아삭 단무지 씹는 소리가 주방에 울려 퍼졌다.

"혹시 이모에게 방해된다면 안 갈게."

"방해될 게 뭐 있겠니. 오히려 너 간다고 하면 좋아하지. 얼추 바쁜 일도 다 끝났는데 그 시골에서 혼자 뭐 해. 그나저나 네 이모…… 아니다."

엄마가 말을 얼버무리고는 어묵 국물을 마셨다. 바림이 빨간 떡볶이를 입에 넣었다. 학원 근처에도 분식집이 있었다. 그림을 그리다 해미랑 가끔 저녁을 먹었다. 전에는 몇몇 선배들과 우르르 몰려가기도 했다. 특별한 것 없는 떡볶이와 순대가 왜 그리 맛있었을까? 어쩌면 맛이 아닌 시간을 먹기 때문인지도 몰랐다. 30분이 전부인 저녁 시간, 주린 배만큼이나 채색으로 꽉 찬 머리를 식힐 수 있는 공간이었다. 물감 냄새와 색색의 그림들이 없는 곳이라면 어디든지 좋았다. 김이 모락모락 피어오르는 작은 분식집, 그곳이야말로 유일하게 쉴 수 있는 곳이니까. 학원을 떠올리자 바림은 갑자기 입맛이 썼다.

"왜 떡볶이 맛없어? 여기 리뷰 괜찮았는데."

"약 먹어서 그런가 봐. 입이 써."

바림이 자리에서 일어나 뒤돌아섰다. 시골 이야기를 꺼냈지만 정말 갈 수 있는지는 미지수였다. 아니, 정말 가고 싶은지조차 자신할 수 없었다.

"말 나온 김에 강여울한테 톡 한번 보내야겠다."

등 뒤에서 엄마의 목소리가 들려왔다. 바림이 삐거덕 방문을 열었다.

어릴 적에 공부방을 마치면 태권도를 가야 했다. 도장이 끝나면 부모님 퇴근까지 두 시간이 비었다. 만약 태권도 2층에 미술 학원이 아닌 영어나 발레 교습소가 있었다면, 미술 학원에 해미가 먼저 다니지 않았다면, 지금쯤 전혀 다른 삶을 살고 있지 않았을까? 하지만 어린 바림은 그림이 좋았다. 적어도 그 시절에는 지금보다 훨씬 더 종이와 연필, 크레파스와 물감과 친했으니까.

중학교 때 큰 화실로 옮긴 것도, 고등학교 입학 후 입시 미술을 시작한 것도 모두 바림 스스로의 선택이었다. 책 귀퉁

이에 낙서하다 걸렸을 때도, "그래, 이 정도 실력이면 인정한다."라는 선생님의 한마디에 괜스레 양 입꼬리가 씰룩거렸다.

바림은 고개를 돌려 벽에 걸린 상장들을 쳐다보았다. 처음 미술 대회에서 상을 받았을 때는 세상을 다 얻은 듯 뿌듯했다. 초등학교 4학년, 그날의 주제는 상상력이었다. 대회 자체가 요구하는 것이 상상력인데, 주제로 상상력이 나오다니. 머릿속이 한순간 일시 정지 상태가 되어 버렸다. 무엇을 그려야 할지 막막했다. 손에서 자꾸만 땀이 비어져 나왔다. 물감을 정리하는 척 주위를 둘러보았다. 모두 밑그림을 그리기에 여념이 없었다. 누군가는 SF 만화처럼 또 다른 누군가는 꿈 일부를 그리고 있었다. 뭔가 현실에 없는 기발한 아이디어를 떠올려야 하는데, 그 생각에 몰입할수록 손에 쥔 연필만 잘근거렸다.

바림이 눈을 감고 크게 심호흡을 했다.

"어떤 주제가 나오든 너무 주제에 집중하지 마. 그럼 오히려 생각이 안 떠오를 수가 있어. 그냥 평소처럼 원하는 걸 자유롭게 그려. 그림에는 정답이 없는 거야. 알지?"

TV에서 본 적이 있었다. 지금부터 절대 빵을 생각하지 말라고 하면 오직 빵밖에 떠오르지 않는다고. 그것이 인간의 심리라고 했다. 그러니 상상력에 매몰되면 오히려 흔해 빠진 생각밖에 떠오르지 않을 터…… 잠깐만, 빵? 빵이라고? 그 순간 머릿속에 한 가지 생각이 스쳤다. 바림이 연필을 손에 쥐고 빠르게 스케치를 시작했다.

그날의 그림은 한여름의 붕어빵 아저씨였다. 더 정확히는 연구실에서 더 맛있는 붕어빵 제조하려고 실험을 하는 붕어빵 연구원이라 할 수 있겠다. 한여름에 사라져 버린 붕어빵 장수들은 무얼 할지 늘 궁금했다. 만약 상상대로 붕어빵 연구에 매진한다면, 그 연구 결과 겨울마다 손님들에게 맛있는 붕어빵을 선보일 수 있다면…….

바림의 그림에는 날아다니는 자동차도, 로봇 강아지도, 바닷속 인어들의 세상도 없었다. 다만 각종 실험 도구에 밀가루와 팥, 슈크림을 넣고 진지하게 배합을 시도하는 붕어빵 연구원만 있을 뿐이었다. 창밖으로 녹음이 울창한 숲을 그리고 여름을 상징하는 매미도 그려 넣었다. 내 그림을 이해 못 하면 어쩌지? 고민되었지만 바림은 이내 고개를 내저었다. 재미있게 그렸으니 그것으로 만족했다. 바림은 자신의 상상력이 꽤 그럴싸하다고 생각했다.

하지만 이제는 정반대의 세상이 되었다. 무엇보다 주제에 집중해야 했고, 원하는 걸 마음대로 그릴 수도 없었다. 명백하게 정답이 존재하는 세계가 바로 입시 미술이었다.

처음에는 단순히 틀에 박힌 입시 미술이 싫다고 생각했다. 선생님의 말처럼 이 고비만 넘기면 원하는 것을 마음껏 할 수 있으리라 믿었다. 해미가 지루하고 재미없는 도형들을 그리고 또 그리는 것처럼, 단순히 거쳐야 할 과정일 뿐이니까. 그러나 시간이 지날수록 바림은 입시 미술이 아닌 그림 자체에 대한 열정이 사라지는 자신을 발견했다. 이 허들을 넘은 뒤에는 무엇을 하고 싶을까? 지우개로 깨끗하게 지운 밑그림처럼 그 답이 보이지 않았다.

해미가 처음 입시 미술을 시작한다 했을 때가 고2 여름 방학이었다. 초등학교 1학년, 손에 물감을 묻혀 스케치북에 찍어 내는 장난 같은 미술을 경험한 것이 마지막이었다. 그랬던 아이가 갑작스럽게 그림을, 그것도 입시 미술을 한다고 했을 때, 주위 모든 사람이 고개를 저었다. 이유는 단 하나, 시작하기에 너무 늦었다는 것이다.

'내가 못 산다. 중학교 아니, 고등학교 입학하고 바로 시작했으면 이렇게 속상하지나 않지. 지금 와서 무슨 미대를 가겠다고. 바림이 너처럼 재능이 있기를 하니, 오랫동안 준비를 했니? 늦어도 너무 늦었잖아. 그래도 저리 고집을 부리니 어쩌니? 내가 전생에 무슨 죄를 지어서 두 녀석이 하나같이

내 속을 뒤집어 놓는지. 정말 속상해서.'

고2 여름부터 미대 입시를 준비하는 건, 냉정히 말해 늦었다고 볼 수 있었다. 그럼 같은 시기에 입시를 그만두는 것도 늦었다고 할 수 있을까? 너무 오랜만에 붓을 잡는 사람과 너무 오랫동안 붓을 잡고 있었던 사람 모두, 시작과 끝이 진정 늦어 버린 것일까? 바림은 한 번도 자신이 미술에 재능이 있다고 생각지 않았다. 오랫동안 그림을 그려 왔으니까 다른 사람 눈에는 그렇게 보였을 것이다. 그래, 다만 오랜 시간 해 왔을 뿐이었다. 너무 오랫동안…….

노크 소리에 바림이 고개를 돌렸다. 삐거덕 문이 열리더니 엄마가 기웃이 얼굴을 내밀었다.

"아니, 원고 작업도 다 끝났다며! 당분간 일도 안 받겠다면서 뭐가 그리 바쁜 척이야? 그 마을 유지라도 되신 모양이다. 너랑 놀아 줄 시간 없는데 괜찮냐더라. 네가 뭐 여덟 살 꼬마니? 너 쉬러 가는 거니까. 내 딸 귀찮게나 하지 말라 했어."

해미와 바림이 자매 같은 친구라면, 엄마와 이모는 친구 같은 자매였다. 강과 바다를 좋아하는 할아버지가 큰딸은 너울로 작은딸은 여울로 이름을 지었는데, 덕분에 너구리와 여우 자매라는 놀림도 많이 받았다고 했다. 엄마는 아직도 여울 이모를 꼭 성을 붙여 강여울로 불렀다.

"이모 바쁜데 방해하는 거 아니야?"

"괜히 튕기는 거야. 네 이모가 너라면 껌뻑 죽잖아. 너 어릴 때는 자기가 데려다 키우고 싶다고 얼마나 난리였는데. 이왕 말 나온 김에 내일 바로 출발하자."

"내일?"이라고 묻는 바림에게 엄마가 손가락을 튕겼다.

"좋잖아. 마침 토요일이니까 가서 나도 하룻밤 자고 일요일에 올라오게."

"그리고 아빠 오면 오붓한 시간 보내려고?"

"오붓은 무슨? 네 엄마 그렇게 한가한 사람 아니다. 이상한 소리 말고 간단하게 짐이나 싸."

바쁘다는 말을 증명하듯 그사이 또 핸드폰이 울렸다. 엄마가 전화를 받으며 돌아섰다. 바림이 옷장에서 캐리어 가방을 꺼내 들었다. 경진에서 며칠을 보낼지 알 수 없지만 짐은 준비해야 했다. 옷이야 세탁해 입으면 되고 이모에게 빌려도 되었다. 속옷과 도톰한 수면 양말, 잠옷, 사 놓고 몇 달을 방치한 책과 인강을 위한 노트북과 문제집, 스킨과 로션, 핸드폰 보조 배터리, 약과 붕대도 챙겼다. 필요한 물품은 이모한테 말하면 될 것이고 시내에 나가 새로 구입해도 될 것이다.

"방학 내내 있을 것도 아닌데."

혹시 또 모를 일이다. 진짜 방학 내내 그곳에 있을지도.

"바림아, 마트 갈래? 네 이모한테 반찬이랑 먹을 것 좀 사 가게."

문밖에서 엄마가 소리쳤다.

"엄마 혼자 다녀와."

언제부터인지 사람 많고 복잡한 곳이 싫었다. 시끌벅적하고 목소리가 끊이질 않으며 각종 냄새가 뒤섞인 곳. 마트는 화실과 비슷했다.

바림이 연습장과 필통을 꺼내 캐리어 가방에 넣었다. 지난 여름에 해미와 함께 문구점에 간 적이 있는데 그때 해미가 사 준 파란색 곰 인형 필통이었다.

"우리 엄마 때문에 못 살아. 그걸 왜 너한테 하소연하고 그래. 우리 최 여사님이 나보고 재능도 하나 없는 게 다 늦게 무슨 미술이냐고 난리다. 야, 웃기지 않냐? 그럼 뭐 공부는 재능 있어서 하냐? 그리고 있는지 없는지는 직접 해 봐야 알 거 아니야. 그래서 이 몸이 미술에 재능이 있는지 한번 도전해 보겠다는 이 말씀. 어때, 말 되지 않냐? 오빠 놈 얘기는 꺼내지도 마. 그냥 그 인간은 무시하는 게 정답이니까. 와, 바림아 이것 봐. 이 필통 되게 귀엽지 않냐? 파란 곰이야. 우리 엄마 하소연 들어 준 값으로 내가 사 줄게."

바림이 무표정한 얼굴로 파란색 필통을 내려다보았다.

"너는 매번 뭐가 그리 간단하냐?"

해미의 결정은 늘 빠르고 즉흥적이었다. 마치 필통을 고르듯이 간단하기만 했다. 그 모습이 다소 철없어 보일 때도 있지만, 아주 가끔은 스스로에게 명확한 해미가 부러웠다. 바림이 바닥에 앉아 침대에 등허리를 기댔다. 왜 갑자기 경진에 간다고 했을까. 생각해 봐도 뾰족한 답이 떠오르지 않았다. 환경을 바꿔 보는 것도 좋을 것이다. 손가락의 인대가 늘어난 것은 어쩌면 다행일지도 몰랐다.

마지막으로 경진에 내려간 것이 초등학교 2학년 때였다. 갑작스레 날아온 할머니의 부고 소식에 엄마는 울고 또 울었다. 소화가 안 된다며 잠자리에 드신 할머니는 다음날에 깨어나지 못했다. 급성 심근 경색, 바림이 9살 때 일이었으니 벌써 10년 전이었다.

할머니는 당신이 만든 두부처럼 포근하고 부드러운 분이셨다. 늦은 저녁 집으로 돌아온 할머니에게선 고소한 콩 냄새가 풍겼다. 남편이 교통사고로 세상을 등진 건, 큰딸이 초등학교에 입학을 앞둔 어느 날이었다. 다섯 살인 둘째는 언니의 운동화를 신고 마당에서 뒤뚱거리며 놀았다. 할머니에게는 슬픔조차 사치인 시절이었다. 마을 사람들의 농사와 허드렛일을 도와주며 생계를 이어 갔다. 장이 서는 날이면 직접 만든 두부를 머리에 이고 먼지가 뿌연 신작로를 걸었다.

세월이 흘러 두 딸은 읍내에 있는 초등학교와 중학교에 입학했다. 고등학교는 조금 더 먼 시내로 다녔고 대학은 더 큰 도시로 떠났다. 사회에 첫발을 뗀 큰딸은 곧 결혼해 가정을 꾸렸다. 둘째는 더 먼 곳으로 떠돌았다. 그렇게 세상 이곳저곳을 기웃거리다 지치고 힘들어지면, 예고도 없이 불쑥 앞마당에 들어섰다.

할머니는 자신보다 많이 배운 두 딸을 늘 자랑스레 여겼다. 아무것도 계획한 것 없는 두 딸의 인생이 자로 대고 그은 선처럼 늘 똑바르게만 보였다. 한 아이의 엄마가 된 큰딸도, 철새처럼 여기저기 날아다니며 넓은 세상을 경험하는 작은딸도 마냥 고맙고 신통했다.

바림에게 할머니의 추억은 10여 년 전 여름이 전부였다. 그 시절 어린 바림과 함께했던 사람은 여울 이모였다. 할머니는 해가 사라진 늦은 밤이 되어서야 집으로 돌아왔으니까.

“거기 얼마 전에 카페 들어왔어.”

언젠가 여울 이모가 말했다. 할머니가 돌아가시고 가게는 함께 일한 아주머니가 인수했다. 하지만 오래 가지 못했다.

그마저도 건강 악화로 내놓은 모양이었다.

"봄가을에 관광객들도 많이 오고, 국도 지나가다 테이크아웃하는 사람들도 있잖아. 가게도 깔끔하고 커피도 맛있어. 이제 경진도 많이 변했어. 주한시에 기차역도 생겼잖아. 주말이면 사람 장난 아니야."

10년이란 시간이 이토록 짧은지 미처 생각지 못했다. 바림은 그동안 자신이 한 번도 시골에 내려간 적이 없었단 사실에 놀랐다. 그렇게 경진은 점점 더 추억 속으로 밀려났구나. 백오산 이곳저곳을 깡충거리던 꼬마는, 어느덧 방학에도 바쁜 고등학생이 되었으니까.

"벌써 10년이네."

이제 시골 앞마당을 지키는 사람은 단 한 사람, 여울 이모뿐이었다.

"그냥 정리하자. 엄마도 없는데 다시 올라와. 너처럼 역마살 잔뜩 낀 애가 그 시골에서 혼자 뭘 하겠다고."

"내가 왜 여기저기 싸돌아다녔는데. 다 돌아올 곳이 있어서 그런 거야."

이모에게 돌아올 곳은 오직 할머니뿐이었다. 철새가 날아오듯 연어가 강을 거스르듯 여울 이모는 매번 경진으로 돌아왔다. 그렇게 지친 날개를 추스르고는 또다시 훌쩍 집을 떠났다. 하지만 더는 아니었다. 이모는 착륙할 곳을 잃어버렸다. 파란 지붕 아래에서 두부를 만들던 할머니는 영원한 추억으로 남아 버렸으니까. 전처럼 쉽게 날아오르지 못한 이모는 담장 낮은 집에서 혼자 생활했다. 번역가로 진로를 바꾼 후 직접 비행기에 오르는 대신 언어라는 두 날개로 시대와 공간을 초월하여 비상하기 시작했다.

"엄마는 경진에서 소원 빈 적 없어?"

토요일 고속 도로는 걱정과 달리 한산했다. 차 안에 진한 커피 향이 가득 찼다. 룸 미러에 매달린 나무 인형이 하늘하늘 춤을 췄다.

"무슨 소원?"

"백오산 거기 소원 비는 돌탑으로 유명하잖아."

바림이 묻자 엄마가 대답했다.

"빌었지. 세계 여행 떠나게 해 달라고."

"이모 소원 말고 엄마 말이야."

"지금 내 얘기 하는 거야. 내 소원이 세계 여행이라고. 나 진짜 여행 가려고 아르바이트 열심히 했다. 처음에는 가까운 아시아로 떠나려고 했어. 중국, 베트남, 몽골, 인도, 터키, 인도네시아 뭐 이런 나라들을 차례대로 갔다가 유럽으로 가 볼까, 남아메리카로 가 볼까 생각했지."

엄마의 말을 들으며 바림이 두 눈을 끔뻑였다. 여행을 좋아하다 못해 사랑한 사람, 그 뜨거운 가슴앓이로 세계 곳곳을 누빈 사람은 바로 여울 이모였다. 그런 이모에게 역마살 운운한 건, 다른 누구도 아닌 엄마였다. 그런데 엄마의 소원이 세계 여행?

"엄마, 나 완전 처음 듣는 소린데?"

"내가 말 안 했으니까."

혹시 익히 들어 알고 있는 그렇고 그런 사연일까? 장녀라는 부담감에 짓눌린 삶. 홀로된 엄마와 어린 동생을 지켜야 한다는 의무감에 희생된 꿈과 미래 등속의 이야기를 이제라도 듣게 되는 걸까? 바림이 꼴깍 침을 삼키고는 운전석을 향해 몸을 틀어 앉았다.

"그럼 얘기해 봐. 엄마 소원이 세계 여행인데 왜 못 갔어? 아르바이트도 열심히 했다며."

"여행 경비 마련하려고 진짜 열심히 하긴 했지. 계획도 다 짜 놓고 현지 숙소도 알아보고 기본적인 어학 공부도 해 놨거든. 《포켓 관광 언어》 같은 책도 사 모으고 그랬는데. 그때는 스마트폰이 있기를 하니 노트북이 흔했니? 다 지도 보고 책 찾아가며……."

"할머니가 못 가게 했어?"

바림이 엄마의 말허리를 잘라내며 소리쳤다.

"야, 네 할머니 그리 모르니? 우리 한다는 건 절대 반대 안 했어. 그랬으니 네 이모가 여기저기 바람처럼 싸돌아다녔지."

"그러니까 엄마는 왜 바람처럼 싸돌아다니지 못 했냐고."

"그게 말이지……."

엄마가 룸 미러를 보며 빼끔히 혀를 내밀었다. 세계 여행을 꿈꾼 것도, 그 목표를 위해 열심히 준비한 일도 모두 사실이었다. 그렇게 차곡차곡 통장에 쌓인 돈을 보며, 엄마는…… 엉뚱한 사업을 시작하게 됐다.

"갑자기 학원 사업이라니?"

그 시절 세계 여행을 위해 갖은 아르바이트를 전전했던 엄마는 우연히 공부방에서 어린아이들을 가르쳤는데, 때마침 원장이 공부방을 인수할 새 사업자를 알아보고 있었다는 것이다.

"의외로 아이들이 많더라고. 공부방 하는 게 큰돈이 드는 일도 아니고, 아이들도 방과 후에 오니까 수업 시간만 잘 조절하면 학교 다니면서도 얼마든지 할 수 있겠더라."

결국 엄마는 여행을 위해 모은 돈으로 엉뚱하게 공부방을 인수했다. 세계 여행의 꿈과 공부방 창업? 바림은 계획의 궤도가 너무 극단적으로 수정되었다는 생각이 들었다.

"어떻게 세계 여행 가려던 사람이 공부방을 창업해?"

"누가 아니라니. 내가 너무 돈을 열심히 모았나? 어쨌든 뭐든 열심히 해야 어떤 결과라도 가질 수 있는 거야."

엄마가 어깨까지 들썩이며 키득거리고는 다시 말을 이었다.

"뭐 세계 여행은 못…… 아니 안 갔지만, 덕분에 아이들 교육에 관심을 두게 됐잖아. 그 아르바이트를 안 했으면 또 어떤 삶을 살았을지 모르지."

엄마의 직업은 아이들 학습 교재와 놀이를 응용한 교육 자료를 만드는 연구원이다. 여행 경비를 마련하기 위해 시작한 아르바이트가 엄마를 여기까지 오게 만든 것이라니. 삶이란 그런 것일까? 지도 한 장 없이 정확한 목적지도 모른 채 떠나는 것. 지금 걷고 있는 길이 과연 어디로 나를 이끌어 줄지 전혀 알 수 없는 불안한 초행길 말이다.

"그럼 그 계획을 이어받아 실행에 옮긴 사람이 바로 여울 이모야?"

바림이 물었다. 엄마가 절레절레 고개를 내저었다.

"걔는 그냥 아무 계획 없이 도망간 거고."

"도망?"

엄마가 그만하자는 눈빛으로 빠르게 덧붙였다.

"너야말로 돌탑에 소원 빌어. '손 빨리 낫게 해 주세요.' 라고."

"고작."

"얘 봐라. 그게 어떻게 고작이야? 손이 얼마나 중요한데."

"내가 그림 그리니까?"

서원을 지나자 고속 도로에 차들이 많아졌다. 검은색 스포츠카가 빠르게 차선을 넘나들더니 몇 초 사이에 흔적도 없이 사라져 버렸다.

"그게 어디 그림만 그릴 손이니? 공부도 해야 하고 시험도 봐야 하고 남들보다 두 배는 바쁜 손이잖아."

"됐어. 물어본 내가 잘못이지."

"그런데. 이게 점점……."

엄마가 말을 멈추고는 미간에 선명한 주름을 그려 넣었다. 이 상황에서 딸을 건드려 봤자 서로에게 좋지 않다는 걸 엄마도 아는 듯했다. 그나마 다행이라 생각하며 바림이 창밖으로 시선을 돌렸다. 순조롭게 가던 차들이 속도를 늦췄다. 혹시나 했는데 역시 주말 고속 도로 정체가 시작된 모양이었다. 추수를 끝낸 논에는 여기저기 하얀 공들이 흩어져 있었다.

볏짚을 모아 둔 것인데 영락없는 마시멜로였다. 산에는 녹지 않은 눈이 쌓여 있고 도시에서는 보기 힘든 키 작은 집들이 옹기종기 모여 있었다. 바림의 시선이 굴뚝에서 피어오르는 하얀 연기를 쫓았다.

"지금쯤 부산이라도 도착할 줄 알았는데 그렇게 서두르더니 겨우 여기 오셨어?"

바림이 정면으로 고개를 돌렸다. 조금 전 차량 사이를 아슬아슬하게 빠져나가던 스포츠카가 코앞에 있었다.

"다 때가 되어야 가게 되는 거랍니다."

핸들을 돌리자 자동차가 옆 차선으로 이동했다. 고속 도로의 정체가 조금씩 풀리고 있었다.

경진읍으로 가기 위해서는 먼저 주한시의 시내를 지나야 했다. 아홉 살 때가 마지막이었으니 바림이 주한을 찾은 것도 정확히 10년 만이었다. 10년이면 강산도 변한다는데, 그 말을 입증하듯 그사이 도시는 완전히 변해 있었다. 가장 눈에 띄는 건 기차역이었다. 몇 년 전 주한시에 철도가 들어선다는 기사가 났었다. 그런데 저렇듯 크고 화려한 역이 완공될 줄은 몰랐다. 주변에는 대단지 아파트와 높은 빌딩들이 들어섰고, 거리에는 유명 프랜차이즈 카페와 식당들도 즐비

했다.

"주한이 완전히 변했네. 기차역 진짜 크게 지었다!"

바림의 한마디에 엄마의 시선이 조수석으로 돌아섰다.

"너 기차역 처음 봐? 몇 년 만에 오는 거지?"

"초등학교 2학년 때가 마지막이었잖아. 할머니 돌아가신 해."

경진에서의 좋은 추억이라고 하면 초등학교 1학년 여름 방학이 전부였다. 이모랑 할머니와 함께 산으로 놀러 다닌 것이 어렴풋한 기억으로 남아 있었다. 그로부터 1년 뒤 할머니가 갑작스럽게 돌아가셨고 바림은 그 후로 단 한 번도 경진을 찾지 않았다. 찾지 못했다는 말이 더 정확할 테지만.

"어머, 그동안 한 번도 안 왔어? 재작년 겨울에……."

"학원에서 스키 캠프 갔잖아."

"아, 맞다!"라고 소리치며 엄마가 고개를 끄덕였다.

"하긴 만날 강여울이 올라왔으니까. 나도 작년 초에 잠깐 와 보고 처음이다."

엄마는 한동안 경진을 멀리했다. 키 작은 담장 너머로 세월의 무게에 짓눌린 굽은 어깨를 볼 수 없으니까. 콩비지찌개의 고소한 냄새와 마을의 시시콜콜한 대소사 역시 들을 수 없었다. 할머니가 사라진 곳에, 할머니를 꼭 닮은 여동생만 남은 것도 지켜보기 힘들었을 것이다.

"시간은 왜 브레이크가 없니? 언제 이렇게 흘러가 버린 거야?"

엄마가 어깨까지 들썩이며 한숨을 내쉬었다. 잠깐 멈췄다 다시 출발할 수 있는 브레이크, 위급한 순간에 잠시 시간을 정지할 수 있다면 얼마나 좋을까. 지금 누구보다 삶의 일시 정지 버튼을 누르고 싶은 사람은 바로 옆자리의 딸이라는 걸, 엄마는 혹여 눈치챌 수 있을까?

"그러니까 시간이지. 세상 만물에 공평하게 주어졌잖아."

"많이 컸네! 우리 딸. 그런 말도 다 하고?"

"시간이 언제 이렇게 흘러가 버렸냐고 한탄한 사람이 누구더라?"

흐르는 시간처럼 자동차도 시원스레 질주했다. 대단지 아파트와 빌딩 숲이 차창 밖으로 빠르게 멀어져 갔다. 엄마와 이모, 이 자매가 새벽부터 일어나 학교에 다녔던 경진에는, 시간이 지나도 잊히지 않을 추억들만 남아 있었다.

"시간은 흘러도 인생은 정체기가 있지."

"정체기?"

바림의 시선이 운전석으로 돌아섰다.

"그냥 꽉 막힐 때 말이야. 오도 가도 못하고 멈춰 서 있을 때."

"……."

"시간에 브레이크는 없지만, 삶에는 정체기가 있어. 그러니까 너 그림 안된다고 너무 속상해하지 마. 그 정체기만 풀리면 또 언제 그랬냐 싶을 정도로 쌩쌩 달릴 수 있을 테니까."

"지켜보는 제삼자는 쉽게 얘기할 수 있지."

바림이 심드렁히 말했다. 엄마의 격려는 시간이 지날수록 점점 더 부담으로 변해갔다.

"이것이 진짜. 내가 너 아픈 거 봐서 웬만하면 참으려고 했는데? 말하는 것 좀 봐. 엄마가 제삼자야? 응?"

제삼자가 아니라서 아무것도 말하지 못했다. 엄마가 다른 누구도 아닌 바로 바림의 엄마라서. 도로가 점점 좁아지고 있었다. 이제 얼마 후면 경진읍에 도착할 것이다. 하얀 까마귀인지 흰 호랑이인지 모르겠지만, 경진에 물을 선물한 영물이 전설로 남아 있는 곳. 사람들이 돌탑을 쌓으며 저마다의 소원을 빌고 있는 곳. 시간이 지나면 잊히고 바랠지 모를 간절함을 하나둘 쌓아 올리는 마을이 그리 멀지 않았다.

윈저 바이올렛

색상 코드 #3a3a7d

새롭게 변한 건 기차역이 들어선 주한의 시내뿐이었다. 경진은 과거와 비교해 크게 달라지지 않았다. 할머니가 살았던, 이제는 이모 혼자 머무는 집도 예전 모습 그대로였다. 파란색 지붕은 순한 초식 동물처럼 앉아 있고 담장 아래 핀 들꽃의 흔적까지 고스란히 남아 있었다. 집안 어디를 둘러봐도 변한 곳이 없었다. 시간이 이곳만 멈춘 것 같았다.

"내가 두메산골에 살아? 차 타고 몇 분만 가면 대형 마트 있거든? 내가 애니? 과자에 초콜릿에 이건 또 뭐야. 매일매일 먹는 견과류? 내가 다람쥐냐?"

"누가 너 준대? 우리 딸이 먹을 거니까. 신경 끄셔. 이제 고 3이야. 견과류가 수험생한테 얼마나 중요한데."

엄마가 간식들을 낚아채며 소리쳤다. 이모가 아연한 얼굴로 바림을 바라보았다.

“너 아예 이쪽으로 전학 오니?”

어른들이 말하기를 아무리 나이가 들어도 부모 눈에 자식은 아이라던데, 그건 자매지간도 마찬가지인 모양이었다. 올해로 마흔다섯이 된 엄마와 세 살 아래 이모는 만나기만 하면 열다섯과 열두 살 자매처럼 툭탁거렸다.

“우리 조카님이 주무실 방은 말끔하게 치워 놨습니다. 침대 시트도 싹 빨아서 새것처럼 다시 준비해 놨어요.”

“손 아파서 내려왔어. 조용한 곳에서 공부하러 온 거야. 괜한 허드렛일 시키지 말고.”

“언니가 그러면 더 시키고 싶지.”

이모의 말이 끝나기 무섭게 엄마가 고리눈을 떴다.

“설거지는 절대 금물이야. 물 들어가면 안 돼. 걔한테 손이 얼마나 중요한지 알지?”

“바림아, 네가 한바림이라서 다행이다. 네 엄마는 어떻게 이 나이 먹도록 농담이랑 진담 하나 구분 못 하니?”

“너도 내 나이 돼 봐. 농담이 농담으로 들리나.”

엄마가 입술을 비죽이고는 냉장고에 차곡차곡 음식들을 넣었다.

"누가 알면 3년이 아니라 13년은 차이 나는 줄 알겠네."

"감히 3년을 무시하네."

"나한테는 고작 3년이네."

"야, 안 그래도 내가 그 얘기 좀……."

엄마가 바림의 눈치를 살피고는 말끝을 얼버무렸다. 이야기의 흐름이 자연스럽지 않은 것이 두 사람만 아는 뭔가가 있는 모양인데……. 묻는다고 답해 줄 리 없으니 조용히 있는 것이 나을 것 같았다. 그 뒤로도 한동안 두 자매의 옥신각신은 계속되었다. 시간이 꼭 일직선으로만 흐르는 건 아닌 것 같았다. 만나기만 하면 티격태격하는 엄마와 이모를 보면 부메랑처럼 과거가 다시 돌아오는 일도 있으니까.

바림이 삐거덕 작은방의 문을 열었다. 싱글 침대와 서랍장, 앉은뱅이책상이 전부인 이 방은, 기억에서도 희미한 오래전에 부모님과 함께 묵었던 곳이다. 바뀐 점이라면 도서관처럼 빽빽하게 꽂혀 있는 책들이었다. 이모가 한 권, 두 권 사 모은 책이 어느새 방안을 가득 채웠다. 바림의 시선이 구석에 놓인 전신 거울에 닿았다. 조카를 위해 이모가 급하게 마련해 놓은 듯 보였다. 거울 상단에 붙어 있는 가격표가 바로 그 증거라면 증거였다. 이제 큰방은, 할머니를 쏙 빼닮은 이모의 차지가 되었다. 그러나 방문을 열면 여전히 주름진 얼굴과 마주할 것 같았다.

10년이란 세월은 길었다. 하지만 기억은 사라지지 않았다. 파일을 압축하듯 가슴 깊숙이 꾹꾹 눌러놓았을 뿐이었다. 추억은 사소한 자극만으로도 거짓말처럼 되살아나기 시작했다.

"바림아, 너도 대충 짐 풀고 편한 옷으로 갈아입어. 없으면 내 옷 줄까?"

문밖에서 이모가 말했다.

"아니야. 나 가지고 왔어."

바림이 대답하고는 캐리어 가방의 지퍼를 열었다. 이상하게 왼손에 힘이 들어가지 않았다. 컵에 주스를 따르거나 가방에 짐을 넣을 때, 방문을 열 때조차 왼손은 불편했다. 남의 손을 빌려 쓰듯 어색한 느낌마저 들었다. 지금까지 대부분을 오른손을 썼으니 당연한 일일 것이다. 양치할 때도 젓가락질이나 글씨를 쓰고 그림을 그리는 모든 것들을 오른손으로 했다.

"오른손만 너무 단련시켰구나."

그러나 당분간만이라도 왼손에 모든 것을 의지해야 했다. 먹는 것, 입는 것, 그밖에 크고 작은 일들까지. 바림은 캐리어 가방에서 옷들을 꺼내 정리하기 시작했다. 책상 위에 스킨과

로션, 노트북도 올려놓았다. 문제집과 필통을 꺼내 들고는 파란색 곰 인형의 지퍼를 열었다. 안에는 볼펜과 샤프, 네임펜과 형광펜, 그리고 미술용 4B 연필이 들어 있었다.

"HB의 H는 hard(단단한)란 뜻이라며. 그럼 H의 숫자가 클수록 그만큼 단단하다는 의미잖아. B는 black(어두운)이라서 진함의 정도를 나타내고, 그래서 2B보다 4B가 더 진한 거래. 와, 10년 넘게 연필을 썼으면서 이걸 이제야 알게 됐다니. 하긴 나 미술 학원 와서 연필 처음 깎아 봤다. 맨날 연필깎이만 썼잖아. 진짜 칼로 깎아 보니까 뭔가 기분이 묘하더라."

해미는 신기한 장난감을 본 꼬마처럼 들뜬 목소리로 말했다. 사실 연필에 쓰인 H, B나 숫자 따위 크게 생각해 본 적 없었다. 미술용품점에 가서 습관처럼 사 왔으니까. 4B는 선의 강약 조절이 쉬웠고 쓰기에 부드러웠다. 바림에게 미술 역시 비슷한 것이었다. 지금껏 그림을 그리는 것에 대해 크게 생각하지 않았다. 짧지 않은 시간을 그림에 투자했다. 그만큼 남들보다 잘하는 영역이라 믿었다. 나에게 그림이란 무슨 의미일까? 정작 이 기본적인 고민을 왜 깊게 하지 않았을까? 바림이 파란 필통을 보며 기억을 되짚어갔다.

아니, 딱 한 번 고민해 본 적이 있었다. 중학교 2학년 열다섯, 예고를 준비해야 할지 갈등했다. 하지만 바림은 두려웠다. 예고에 합격할지도 미지수였지만 그림에 모든 것을 올인할 자신도 없었다. 그렇게 일반고에 진학했지만 결국 새로운 길을 찾아내지 못했다. 특별히 하고 싶은 것도, 전공하고 싶은 분야도 없었다. 결국 지금까지 하던 것이나 계속하자 싶은 약간의 자포자기 상태가 되어 버렸다.

'내가 못 산다. 중학교 아니, 고등학교 입학하고 바로 시작했으면 이렇게 속상하지나 않지. 지금 와서 무슨 미대를 가겠다고.'

해미 어머님 말씀처럼 만약 고등학교 입학과 동시에 미술을 그만두었으면 괜찮았을까?

"한바림 뭐해? 어서 나와."

문밖에서 이모가 소리쳤다. 바림이 흠칫 놀라 손에 쥔 필통을 떨어뜨렸다.

저녁 식탁에는 냉동 피자와 훈제 닭고기, 오징어와 견과류가 올라왔다. 맥락 없는 두 사람의 대화처럼 통일성이라고는 전혀 찾아볼 수 없는 메뉴들이었다. 그러나 크게 상관없지 않을까? 오랜만에 맥주잔을 기울이는 자매는 마냥 들뜬 표정이니까.

"이봐요, 강여울 작가님? 이제 원고도 다 넘겼다면서 뭐 그리 바쁜 척이야?"

"작가라고 하는 거 보니까. 우리 언니 또 취했네."

"야, 내가 없는 얘기 지어냈냐? 너 작가잖아. 책을 세 권이나 썼는데."

"언제 적 얘기야."

이모가 시원스레 캔 맥주를 기울였다. 엄마가 콧잔등에 주름을 만들고는 땅콩을 오물거렸다. 밤이 깊어 갈수록 두 사람의 얼굴이 잘 익은 홍싯빛으로 물들어 갔다.

엄마의 말은 사실이었다. 이모는 여행 에세이집을 세 권이나 출간했고, 그중 두 권은 에세이 카테고리에서 1위에 오른 적도 있었다. 엄연한 베스트셀러 작가라고 해도 과언이 아니었다. 물론 지금은 역자로 더 유명해졌지만…….

대학에서 영문학을 전공한 이모는 여행사와 출판사, 외국계 회사를 차례로 옮겨 다녔다. 그러다 어느 날 훌쩍 비행기에 올랐다. 엄마의 말에 의하면 도망이라 했지만, 시작이 어쨌든 간에 이모는 아시아를 시작으로 유럽, 남미를 거쳐 세계 곳곳을 떠돌아다녔다. 그곳에서 경험한 이야기들을 책으로 엮었는데 사람들에게 생각지도 못한 큰 호응을 얻었다. 책의 독자들은 이모를 자유로운 영혼이라고 했고 엄마와 이모의 가까운 지인들은 역마살이라고 말했다. 지금은 할머니가 사라진 파란 지붕 아래에서 조용히 생활하지만, 또 언제 날개를 펼칠지는 누구도 장담할 수 없었다. 어쩌면 이모 자신조차 알 수 없는 일인지도 몰랐다.

"슬슬 역마살 발동 안 해?"

엄마가 물었다. 이모가 피식 헛웃음을 터트렸다.

"가게 되면 가는 거고, 여기에서 평생 살다 엄마가 부르면 얌전히 따라가고."

"우리 집 근처로 오라니까."

"내가 아무리 형부 김치찌개를 좋아해도, 언니 잔소리로 삶의 질을 떨어뜨릴 수는 없지."

"말하는 싸가지 하고는."

"그 싸가지 누구한테 배웠을까?"

이모가 입술을 비죽이며 캔 맥주를 기울였다. 그 모습이 어쩐지 엄마와 똑같았다.

"너 지난번 전화 말이야. 혹시……."

엄마의 한마디에 이모가 마시던 맥주를 풋 하고 내뿜었다. 자매의 오붓한 저녁상이 한순간 괴성과 짜증으로 얼룩지기 시작했다.

"뭔 말도 안 되는 소리를 하고 있어? 애써 마신 술 다 깨게 만들지 마라?"

"뭐가 말이 안 돼."

엄마의 곤란한 시선이 바림에게로 날아들었다. 바림은 아무래도 이쯤에서 일어나야 할 것 같았다. 아까부터 두 사람이 주고받은 눈빛이 심상찮게 느껴지니까.

"먼저 잘게. 두 사람 싸우지 말고 친하게 좀 놀아. 알았지?"

바림이 이모의 어깨를 두드리고는 방문을 열었다. 차량의 경적도 취객의 고성도 사라진 마을은 눈이 내리는 소리마저 들릴 정도로 고요했다. 바림이 풀썩 침대에 몸을 뉘었다.

"강여울 제대로 좀 얘기해 봐. 응?"

"벌써 술 취했어? 강너울 다 죽었네. 고작 맥주 몇 잔에 취하고."

"이게 주저리주저리 괜한 소리 하는 게 더 수상해? 빨리 털어놔."

"뭘 얘기해 지난번에 말한 게 전분데."

"그 뒤로는 없어?"

"뭐가."

"아니 그러니까 주한시에서……."

"이 아줌마 드라마 너무 봤네."

방문 밖에서 나직한 속삭임이 들려왔다. 바림은 모른 척 허공에 두 손을 뻗었다. 붕대가 감겨 있는 오른쪽, 멀쩡한 왼쪽 모두가 제 것임에도 낯설게 느껴졌다.

"이게 내 손이란 말이지?"

경진에서의 첫날밤이 서서히 저물어 가고 있었다.

"오른손 절대 쓰지 마." 이 당부는 정확히 12번 들었다. 약 챙겨 먹으란 소리는 7번, 내신 잘 다져 놓으라는 말도 4번이었다. 운전석에 앉은 엄마가 "한바림, 너 괜찮은 거지?"라고 마지막으로 물었다. 질문에 대한 대답은 엉뚱하게 여울 이모가 했다.

"언니가 가야 괜찮아질 것 같다. 그냥 좀 가라. 바림이 어디 두메산골에 떨어뜨렸니?"

쯧쯧 혀를 차는 이모를 향해 엄마가 콧잔등에 주름을 만들어 보였다.

"사실 불안한 건 바림이가 아니라 너다, 너."

"여기 길 좁아. 괜히 다른 차까지 막지 말고 빨리 출발해."

이모가 탕탕 차 문을 두드리며 말했다. 그럼 푹 쉬라는 당부를 끝으로 엄마가 시동을 걸었다. 엔진 소리를 내며 하얀색 세단이 시야에서 빠르게 멀어져 갔다.

바림이 뒤돌아 파란 지붕을 올려다보았다. 10년 전을 떠올리니 모든 것이 좁고 작게만 느껴졌다. 집은 허리 굽은 노인처럼 몸피가 줄었고, 이모와 물장난을 하며 뛰어놀던 앞마당은 잘못 세탁한 니트처럼 작아졌다. 좁은 마을 길과 하늘 끝까지 자랄 것만 같던 대추나무까지 넓고 크고 높게만 보이던 것들이 거짓말처럼 축소되어 있었다. 그러나 오직 단 한 곳만은……. 바림이 눈을 들어 멀리 백오산을 바라보았다. 하얀 까마귀와 흰 호랑이가 사는 곳은 여전히 위용 있는 모습으로 그 자리를 지키고 있었다. 여덟 살 꼬마가 열아홉이, 스물아홉이, 여든아홉이 되어도 절대 변하지 않을 것 같았다.

"요즘도 사람들이 백오산에 소원 빌러 와?"

산에 시선을 둔 채 바림이 물었다.

"그냥 봄가을 꽃이랑 단풍 보러 오는 관광객들이지. 맞다. 작년 가을에 있잖아?"

이모가 무언가 생각난 듯 '짝' 두 손을 맞부딪혔다. 먼 곳에 묶여 있던 바림의 두 눈이 돌아섰다. 하얗게 얼어 있던 하늘에 서서히 푸른빛이 감돌았다. 당분간 눈은 내리지 않을 모양이었다.

"작년에 만취한 관광객이 돌탑 하나를 발로 차서 무너뜨렸거든."

산에 쓰레기를 버리는 사람은 많았다. 흰 까마귀와 흰 호랑이 전설을 유치한 상술이라 비웃는 사람들도 있었다. 그러나 지금까지 돌탑을 부숴 버린 사람은 없었다. 미신이든 상술이든 돌탑은 사람들의 소망을 쌓아 올린 것이고, 그 귀한 마음을 누구도 함부로 할 수 없었다. 그런데 술에 취한 사내가 홧김에 그 간절한 염원들을 발로 차 버린 것이다.

"올봄에 그 아저씨랑 같이 왔던 일행이 또 찾아온 거야. 돌아가는 길에 교통사고가 났는데, 앞자리에 앉은 사람들도 멀쩡한 와중에 뒷자리에서 술 취해 잠든 그 아저씨만 다리가 부러진 거 있지? 다리가 부러질 만큼 큰 사고도 아니었는데 말이야."

"정말?"이라고 물으며 바림이 동그란 눈동자를 부풀렸다.

"저 아래 두부 마을이라는 식당에서 밥 먹으면서 얘기하더래. 그 집 주인아저씨가 입이 무겁기로 소문난 사람이거든. 그런 아저씨가 직접 말할 정도면 진짜지. 아무튼 얘기만으로 속이 다 후련한 거 있지. 자기가 뭐라고 남의 정성을 발로 차?"

갑자기 한기가 느껴진 건 차가운 바람 탓일까? 바림이 몸을 떨자 그만 들어가자며 이모가 몸을 돌려세웠다. 바림은 백오산을 한 번 더 바라보고는 뒤돌아 대문으로 들어섰다.

"예식은 잘 끝나셨어요? 아무래도 오랜만에 다들 모이시면 그렇죠. 아니요. 절대 무리하지 마세요. 안전 운전이 최

고입니다. 그럼 다음 주에 반장님 작품을 첫 번째로 할게요. 그러게요. 마을 입구에 커다랗게 플래카드라도 붙여야 하는데."

이모의 호탕한 웃음소리가 거실을 울렸다.

"네, 그럼 천천히 내려오세요."

바림이 싱크대에 커피 잔을 내려놓으며 '누구야?' 싶은 눈빛을 보냈다. 이모가 싱긋이 웃었다.

"반장님."

"이장님이 아니라 반장님이라고 해?"

"그래. 우리 글쓰기 교실 합평 모임."

"글쓰기 교실?"

바림이 고개를 갸웃했다. 이모의 얼굴에 엷은 미소가 지나갔다.

이모는 엄연히 책을 세 권이나 출간한 작가였다. 그러다 보니 가끔 도서관이나 학교에서 강연 의뢰가 들어왔는데, 에세이의 인기와 더불어 글쓰기 열풍도 한몫했기 때문이라고 했다.

"내 책에 관심을 주신 분들인데 당연히 가야지. 내가 뭐라고."

이모는 꾸밈없는 이야기로 사람들과 좋은 공감대를 형성

했다. 그렇게 독자들을 만나다 보니 주한이 고향인 분도 알게 되었고, 자연스레 이모의 과거 이야기도 조금씩 흘러나왔다.

"내 모교에서 강연해 달라는 거야. 너무 창피한데 차마 거절할 수 없겠더라고. 그래서 1학년 아이들이랑 만났지. 옛날에는 여고, 남고로 나뉘었는데, 10년 전인가? 남녀 공학으로 통합했대. 학생 수가 점점 더 줄어드니까."

이모가 주한, 그것도 경진읍에 산다는 소문은 바람을 타고 빠르게 퍼져 나갔다. 그렇게 파란 지붕 집 둘째 딸은, 역마살이 단단히 낀 두부 가게 둘째 딸은, 온종일 집에 틀어박혀 뭘 하는지 모르겠는 둘째 딸은, 마을에서 당당히 작가님이라 불리게 되었다.

"오! 강 작가님. 마을 유지되셨네."

바림이 웃으며 엄지를 치켜세웠다. 이모가 미간을 찌푸리며 짧은 한숨을 토해 냈다.

"덕분에 내가 마을 사람들에게 어떤 이미지였는지는 확실히 알게 되었지. 야, 역마살은 그나마 양반이야. 무슨 귀신 씌었다는 사람도 있었어."

"그런데 합평 모임은 뭐야?"

경진읍에는 작은 도서관이 있었다. 이모가 산책 삼아 자주

가는 곳이었다. 마을 도서관이지만, 어린이 열람실부터 눈이 안 좋은 어르신들을 위한 큰 글자 도서 전용 공간까지 잘 마련되어 있었다. 도서관의 자랑 중 하나는 바로 제법 역사가 긴 독서 동아리였다. 책을 좋아하고 책과 친해지려는 사람들이 모여 함께 독서하고 토론하는 모임이었다. 남녀노소 누구라도 참여할 수 있었고, 회비로 산 신간들을 도서관과 마을 초중학교에 기증하는 뜻깊은 행사까지 꾸준히 이어가고 있었다.

"책을 읽다 보면 자신의 글을 쓰고 싶다는 그런 갈증이 생길 때가 있거든."

그 도화선이 된 것이 마을에 작가가 산다는 소문이었다. 그것도 오며 가며 인사를 나눈 파란 지붕 집 둘째 딸이라니. 독서 동아리에 이보다 더 좋은 소식도 없었을 것이다.

"그래서 이모가 에세이 동아리의 글쓰기 선생님이 되셨다?"

"야! 선생님은 무슨. 나 같은 인간이 누굴 가르쳐. 나도 회원이야. 2주일에 한 번 도서관에 모여서 서로의 글을 읽고 각자의 감상이나 의견을 나누는 거지."

이모의 입가에 기분 좋은 미소가 번졌다.

"배우는 게 정말 많아. 진솔한 글을 읽으면 진짜 가슴 뻐근해질 때가 있거든."

가슴 뻐근해진다는 게 정확히 무엇일까. 무언가에 감동한 것, 어떤 일에 대한 만족감이나 소망과 바람을 이뤘다는 성취감일까? 마지막으로 그 감정을 느낀 적이 언제였는지 바림은 기억조차 나지 않았다. 제시된 사물을 보면 프로그램된 기계처럼 구도와 연출과 색감이 자동으로 떠올랐다. 잘하게 되어서라고 여기면서도 그렇기에 점점 더 그림이 따분하고 지루하게 느껴졌다.

'토끼 풍선 꼬리 쪽, 형태 디테일이 좀 약하지. 배 부분 중간톤도 못 찾은 것 같아. 눈 쪽 화이트도 너무 급하게 올려서 덩어리져 보이잖아. 그래도 바림이답게 전체적으로 깔끔하게 잘 그렸어. 톤 밸런스도 잘 나왔고.'

선생님은 마치 습관처럼 말했다. 바림이답게 잘 그렸다고. 그러나 정작 바림은 나답게 그리는 그림이 무엇인지 알 수 없었다. 어쩌면 기술이 늘었다는 표현이 더 정확할지 몰랐다. 오랫동안 학원에 다녔으니까 자연스레 기술은 늘었을 것이다. 그것뿐이었다.

"그래서 말인데."

이모의 목소리가 멍하니 생각에 빠진 바림을 깨웠다.

"나 오늘 도서관 가야 해. 합평 모임이 있어. 혼자 있게 해서 미안해."

"여기 두메산골 아닙니다."

엄마의 말은 사실이었다. 이모는 동네 유명인이 되어 하루하루 공사가 아주 다망해 보였다.

"노트북은 내 밥줄이라 좀 그렇고, 컴퓨터로는 영화 봐도 돼. 바탕 화면에 있으니까. 자동 로그인되고 카드도 등록되어 있어. 결제 비밀번호는 river1515. 보고 싶은 영화 결제해서 봐."

이모가 이렇게 말하고는 두 눈을 가늘게 떴다.

"뭐 봤는지 다 남는 거 알지? 믿는다, NO 19금."

"생각 없었는데 이모가 말하니까 갑자기 관심 생겼어."

"그래, 긁어 부스럼이다."

이모가 항복한 듯 두 손을 들어 보이고는 몸을 돌려세웠다.

"그런데 플래카드는 무슨 뜻이야?"

"아, 그거? 올해 우리 동아리에 경사 났거든."

바림이 안방으로 따라 들어가자 이모가 겉옷을 입으며 이야기했다.

"너 혹시 생텍쥐페리 동화제 알아? 동화 작가의 등용문이라고 할 수 있는데, 이번에 우리 합평 모임에서 우수상 받은 사람이 있어."

생텍쥐페리 동화제라면 바림도 모르지 않았다. 어릴 때 수상작을 많이 읽었으니까.

"동화? 에세이 동아리라며?"

"정식 회원은 아니야. 청강생이라고 해야 하나?"

이모가 한쪽 눈을 찡긋하고는 옷걸이에 걸린 목도리를 꺼냈다.

"이번 공모 때 응모작만 천 편이 넘었다더라. 아무튼 정말 축하해 줄 일이야."

하지만 그때까지도 예상하지 못했다. 그 대단한 결과를 탄생시킨 청강생을 직접 만나게 되리라고는. 게다가 유치한 논쟁까지 벌이게 되리라고는 누가 상상이나 했겠는가.

이모가 살랑살랑 손을 흔들고는 현관을 벗어났다. 바림은 뒤돌아 텅 빈 거실을 둘러보았다. 영화를 볼까. TV 예능을 보며 아무 생각 없이 웃을까? 책을 읽는 것도 좋을 듯 싶었다. 그 순간 주머니 속 핸드폰이 몸을 떨었다.

"뭐야, 너? 갑자기 무슨 시골이야?"

화면을 긋기 무섭게 익숙하고도 짜증 섞인 목소리가 왕왕 날아들었다.

"조용히 좀 말해라."

"내가 조용히 말하게 생겼어! 어떻게 나한테 한마디도 없이. 내가 네 일을 김 쌤 통해서 들어야겠냐고? 야, 나 아직 루이 때문에 받은 충격 여전하거든. 그런데 바림이 너까지 정말 이러기야?"

해미의 새된 목소리가 쩌렁하게 귓가를 울렸다. 바림이 낮은 한숨과 함께 입을 열었다.

"어차피 너는 온종일 학원에 있잖아. 왜 점심, 저녁 같이 먹어 줄 애가 없어서 그래?"

아차 싶었지만, 이미 늦어 버렸다.

"말하는 것 하고는……."

애써 아무렇지 않은 척했지만 해미의 말투에는 또렷한 서운함이 묻어났다. 어쩌면 자책인지도 몰랐다. 자신 때문에 가장 친한 친구가 다쳤다고 믿으니까. 무려 2주 동안 붓을 잡을 수 없다고 생각하니까. 바림이 왼손으로 얼굴을 쓸어내렸다.

"그냥 손 다친 김에 내려왔어. 갑자기 결정한 거야. 미리 얘기 못 해서 미안해."

"알았어. 잘 쉬고 올라와."

"해미야."

미안하다는 말이 목에 걸려 나오지 않았다. 뭐가 미안하냐 물으면 대답할 말이 궁색한 것도 사실이었다.

"그림 그리는 거 힘들지?"

"힘들지. 그런데 의외로 재미있어. 쌤들이 나 감각 있대. 처음 배우는 거라 쓸데없는 나쁜 습관 없어서 좋대."

"쌤들 말 너무 믿지 마. 원래 기초반 애들은 다들 우쭈쭈해 줘."

"누가 모르냐? 그런데 작품 하나 완성하면 되게 뿌듯하더라. 시간 가는 줄 모르겠어."

해미는 스스럼없이 작품이라 말했다. 바림이 피식 웃음을 터트렸다.

"해미야. 갈 길이 아주 멀다. 너 진짜 정신 바싹 차려야 해."

"알고 있어, 이것아. 그래서 이렇게 학원에 제일 먼저 와서 제일 늦게 가는 거잖아. 나 어제 11시 넘어서까지 학원에 있었다! 시간이 그렇게 흐른 지도 몰랐어. 엄마가 전화하지 않았으면……."

"해미야, 미안. 나 지금 잠깐 나가 봐야 하거든. 내가 나중에 전화할게."

해미의 말을 막아서며 바림이 성급하게 전화를 끊었다. 까맣게 꺼져 버린 화면을 보고 있자니 음식에 섞여 있는 이물질을 본 듯 찝찝한 기분이 들었다.

"나 왜 이러냐?"

기초반이라고 모두 다 칭찬해 주지는 않는다. 아이들의 미래가 걸려 있는 상황에서 괜한 립서비스는 오히려 독이 될 테니까. 그 자명한 사실을 바림도 모르지 않았다. 선생님들이 해미에게 감각이 있다고 한 말은 분명 사실일 것이다. 학원에 잘 적응하고, 선생님들께 칭찬받으며 시간이 가는 줄도 모른 채 그림에 집중하는 해미를 다행이라 여겨야 하는데, 누구보다 기뻐해야 하는데, 왜 괜한 심술과 억지를 부리는지. 바림은 짜증이 날 정도로 스스로가 유치하게만 느껴졌다.

"진짜 싫다."

핸드폰은 최대한 주머니 속 깊숙이 집어넣었다. 집 안에서 영화나 볼 것 같으면 굳이 이 먼 곳까지 오지 않았을 것이다. 바림이 방으로 들어가 검은색 패딩을 꺼내 들었다. 회색 티셔츠에 청바지, 검은색 운동화, 가방과 외투 하다못해 노트까지 모두가 무채색뿐이었다. 단순히 때가 안 타서? 아무것이나 받쳐 입어도 어울리니까? 어쩌면 그럴지도 몰랐다. 바림의 시선이 회색 양말 끝으로 떨어졌다.

"색에 질렸나 봐."

내려다본 장판은 노란색이었다. 퍼머넌트 레몬 옐로, 옐로 딥, 옐로 오커, 시트론 옐로, 옐로 오렌지. 머릿속으로 떠오르는 노란색만 다섯 가지였다. 세상에는 무수히 많은 노란색이 있고 그 색들의 특징을 알아야만…….

'힘들지. 그런데 의외로 재미있어.'

미술이, 그림을 그리는 것이 언제부터 재미있는 일이 되었을까? 아니 질문이 틀렸다. 미술이 언제부터 재미없고 따분한 일이 되었는지 먼저 물었어야 했다. 그 물음에 답을 하기엔, 고3 시작을 알리는 겨울 방학은 가야 할 대학까지 정해진 이상 너무 늦었다고 했다. 누가 그랬냐 묻는다면, 학원 선생님과 엄마, 학교 선생님과 친구들, 그리고 어쩌면 바림 스스로인지도 몰랐다. 바림이 주머니에 손을 찔러 넣는 순간 또다시 핸드폰이 몸을 떨었다. 꺼내 본 화면에는 해미가 보낸 사이트 주소가 있었다. 링크를 클릭해 보니 루이에 관한 연예 기사였다.

루이는 정상급 아이돌 지니의 멤버였다. 노래면 노래, 춤이면 춤, 각종 예능에서 보여 준 다양한 끼와 대중을 휘어잡는 스타성까지 모든 것이 완벽했다. 그런 아이돌 스타가 소속사와의 계약이 끝남과 동시에 돌연 은퇴를 선언했다. 그야말로 연예계가 발칵 뒤집혔다 해도 과언이 아니었다. 멤버들과의 불화설, 소속사와의 갈등, 무리한 스케줄에 따른 건강 악화설까지. 루이를 둘러싼 소문들은 그의 머리숱만큼이나 풍성하고 무성했지만, 정작 당사자는 침묵으로 일관하며 카메라 앞에 전혀 모습을 드러내지 않았다. 해미가 보내 준 기사 역시 기자의 일방적인 카더라 통신일뿐 전혀 신빙성이 없었다.

"그냥 그만두고 싶었나 보지."

정상급 스타가 돌연 연예계에서 은퇴했다. 팬들과 사람들은 당연히 이유가 궁금할 것이다. 하지만 꼭 무슨 이유가 있어야만 그만둘 수 있는 건 아니지 않을까. 어느 날 갑자기, 춤과 노래가 싫어질 수도 있을 것이고, 사람들의 기대와 관심도 부담될 것이며, 연예계 생활에 신물이 날 수도 있지 않을까. 그래서 가뿐하게 그만둔 것뿐인데 사람들은 자꾸만 명확한 이유를 말하라며 떠난 사람을 귀찮게 했다. 바림은 기사에 쓰인 계약 종료란 단어에 시선을 두었다. 계약이 끝났다는 것은 다른 선택을 할 수 있는 기회가 주어진다는 뜻 아닐까?

"나는 누구랑 계약했지?"

혹여 시간이 아닐까. 지금까지 공들인 노력과의 계약, 비용과의 계약, 주위 사람들의 시선과의 계약, 그것은 분명 문서에 쓰인 것보다 훨씬 더 강력한 힘을 발휘할 것이다.

현관문을 열고 마당에 내려서자 들판을 지나온 바람이 싸늘하게 온몸을 휘감았다.

창문 너머에 우뚝 솟은 백오산이 있었다. 몇 발자국만 가면 도착할 것 같은데, 산은 인간에게 그럴싸한 신기루를 선사했다. 고개만 들면 바로 코앞이었다. 하지만 막상 그곳까지 가는 길은 멀고도 험했다. 손만 뻗어도 닿을 듯, 조금만 더 가면 도착할 듯, 산은 언제나 인간들을 유혹했다. 그렇게 인간들의 무지를 일깨워 주었다.

가면 갈수록 산이 뒷걸음치는 기분이었다. 멀어 봤자 조금만 걸으면 도착하겠지 싶었는데 아무리 걸어도 산과의 거리는 가까워지지 않았다. 호흡이 가빠 올수록 바림은 이상하게 오기가 치솟았다. 무거운 발걸음으로 등산로 입구에 간신히 도착한 바림이 의자에 주저앉아 하얀 입김을 토해 냈다. 모든 것이 작고 좁고 가깝게 느껴졌지만, 산만은 변함없었다. 아니 오히려 더 커진 기분이었다. 이 먼 곳을 여덟 살 꼬마가 토끼처럼 뛰어다녔다니.

"스무 살도 안 됐는데 몸이 전 같지 않다고 말해야겠냐?"

인정하긴 싫지만 사실이었다. 특별한 운동이라고 해 봤자 늦은 밤 학원에서 집까지 걸어오는 것이 전부였으니까. 하루의 대부분을 책상에 앉아서만 생활했다. 10년은 에너지 넘치는 토끼를 나무늘보로 만들기에 충분한 세월이었다.

"여기까지 왔는데 포기할 수 없지."

바림이 끙 소리를 내며 자리에서 일어났다. 한겨울이었다. 산마루에서 불어오는 바람이 투명하게 날을 세웠다. 며칠 전 내린 눈이 백오산을 하얗게 장식했다. 산새들이 빠른 날갯짓으로 분주히 움직였다. 사람들이 흔히 말하기를 겨울 산은 헐벗었다고 하던데 적어도 바림의 눈에는 전혀 다르게 보였다. 이제 막 목욕을 끝낸 아이처럼 깨끗하고 맑게 느껴졌다. 하얀 눈이 햇살을 튕겨 내며 한낮에도 땅 위에 별빛을 수놓았다.

산 입구에 들어서자 멀리 물소리가 들려왔다. 안으로 걸어 들어갈수록 소리는 점점 더 크고 또렷하게 느껴졌다. 백오산에서의 기억은 10여 년 전이 마지막이었다. 그다음 해에 할머니가 돌아가셨으니까. 그 뒤로는 한 번도 숲을 찾은 적이 없었다.

먼 기억 속의 백오산은 아름다웠다. 완만한 산등성이와 조용히 흐르는 계곡, 진한 숲의 향기가 어우러져 신비로웠다. 여름 백오산이 힘 있고 강한 전사 같다면, 겨울 산은 온화하면서도 차갑고 냉철한 여왕을 보는 듯했다.

산을 타고 내려오는 계곡이 길게 이어져 있었다. 어떤 곳은 물속이 환히 보이는 맑은 수정이었지만, 나뭇가지가 해를 가린 곳은 그 깊이를 알 수 없었다. 흑진주처럼 검고 어두운 물빛. 길게 굽이쳐 흐르는 계곡은 알을 낳은 뱀과 같아서 인간들에게 종종 서늘한 경고를 보냈다.

"오히려 바다보다 이런 계곡이 훨씬 더 위험해. 함부로 물에 들어가지 마."

바람에 섞여 익숙한 목소리가 날아들었다. 이모인지 할머니인지는 정확히 기억나지 않았다. 하지만 한여름임에도 차디찬 물의 감촉만은 또렷했다. 10여 년 전 여름 방학, 할머니와 이모를 따라 올랐던 백오산은 왕릉 속 벽화처럼 기억 속에서 희미하게 바래져 버렸다.

물 냄새를 따라 바림은 오직 앞만 보며 걷고 또 걸었다. 그런데 막상 산에 도착하니 이곳에 온 이유가 생각나지 않았다. 바림이 걸음을 멈추고 천천히 주위의 풍광을 둘러보았다. 멀리 크고 작은 돌탑들이 보였다. 마을 사람들이 소원을 빌며 하나둘 쌓아 올린 것들, 안녕과 소망을 빌었던 흔적들이 어느덧 주위에 수많은 돌탑 무리를 형성해 놓았다.

'앞자리에 앉은 사람들도 멀쩡한 와중에 뒷자리에서 술 취해 잠든 그 아저씨만 다리가 부러진 거 있지?'

돌탑을 무너뜨린 주정뱅이는 정말 백오산의 저주를 받은 것일까? 과학적으로 증명할 수는 없지만, 그렇기에 오히려 더 신빙성이 있었다. 세상은 원래 과학으로 증명할 수 없는 일들이 벌어지는 곳이니까. 바림이 걸음을 옮겨 돌탑 가까이 다가갔다.

"아! 맞다. 약수터."

어릴 적에 이모와 산을 오르며 약수를 마셨는데, 문득 그때의 물맛이 떠올랐다. 바림의 시선이 약수터를 굽어보는 전나무에 닿았다. 이곳에 돌탑이 많은 건 바로 저 나무 때문이었다. 환영처럼 나부끼는 붉고 파란 색색의 천들. 오래전 이 나무는 마을에 복을 불러오는 서낭당이었다. 약수터의 기억은 흐릿하지만, 바람이 불면 나비처럼 팔랑거렸던 오색의 천들은 지금도 또렷했다. 하지만 가지마다 펄럭이던 오색 비단들은 더는 보이지 않았다. 누가 무슨 이유로 없애 버렸는지는 알 수 없었다. 10년이라는 시간 속에 자연스레 마모되었는지도 몰랐다. 그럼에도 신비한 느낌은 조금도 사라지지 않았다. 그건 어쩌면 나무 자체에서 느껴지는 어떤 영험함인지도.

바림이 돌탑 꼭대기에 놓인 돌멩이를 내려다보았다. 어디서나 볼 수 있는 그저 그런 돌이었다. 그런데 이 돌멩이가 탑이 되는 순간 누군가에게는 간절함이 된다. 소원이 되고 희망이 되고 미래의 계획이 된다. 또렷한 의미를 갖게 된다. 이 탑의 높이만큼, 돌들의 개수만큼, 다양한 사람들의 바람이 담겨 있겠지? 모두 다 자신이 무엇을 원하는지 정확히 알 수 있을까?

바림이 허리 숙여 바닥에 떨어진 돌멩이를 집어 들었다. 산 정상은 생각보다 멀리 있었다. 가까이 다가갈수록 여전히 뒤로 물러서고 있었다. 다리가 아팠고 괜스레 짜증도 치솟았다. 그렇지만 여기까지 걸어온 시간과 노력이 아까워서라도 다시 돌아갈 수는 없었다. 언제 여기까지 올라왔을까 싶지만 별다른 느낌은 없었다. 계곡에서 불어오는 바람에 가슴만 허해진 기분이었다. 바림은 손에 돌을 쥐고도 선뜻 탑 위에 올리지 못했다. 무엇을 빌어야 할까? 엄마의 말처럼 손이 빨리 아물어 다시 붓을 쥘 수 있기를, 백오산의 하얀 까마귀와 흰 호랑이, 영검한 서낭당에 빌어야 할까.

'아무튼 얘기만으로 속이 다 후련한 거 있지. 자기가 뭐라고 남의 정성을 발로 차?'

만약 이 돌탑을 허물어뜨린다면, 그땐 부러지는 것이 다리가 아닌 손이 되려나. 바림이 붕대가 감긴 오른손을 얼굴 가까이 들어 올렸다. 탑이라 해도 얼기설기 돌을 쌓아 올린 것뿐이었다. 조금만 건드려도 와르르 무너질 듯 위태해 보였다. 손이 아닌 손가락 한 개 정도면 완전히 부서뜨릴 수 있을 터였다. 세상 모든 사람이 소원을 다 이룰 수는 없을 테니까.

바림이 고개를 돌려 등산로를 확인했다. 싸늘한 겨울 산은 사람들의 발길이 드물었다. 자동차가 올라오기엔 턱없이 좁은 길이었다. 어디선가 괴괴한 산새 소리가 들려왔다. 이제는 사라진, 그러나 전나무의 오색 깃발은 환영이 되어 바림의 눈앞에서 펄럭였다.

'앞자리에 앉은 사람들도 멀쩡한 와중에…….'

진짜 백오산의 저주였다면 꽤 마음에 들었다. 그 누구도 아닌, 돌탑을 무너뜨린 사람에게만 저주가 닿으니까. 바림이 손에 쥔 돌을 꽉 움켜잡았다. 보이지 않는 끈으로 왼손을 묶어 버린 기분이었다. 그럼 이제 남은 것은 인대가 늘어난 오른손밖에 없었다. 하얀 엄지장갑을 낀 듯 하나로 모인 손이 천천히 돌탑을 향해 움직였다.

"그 탑은 너무 작아. 다른 탑 위에 놓는 게 어때?"

한순간 가슴이 쿵 소리를 내며 떨어졌다. 온몸의 피가 차갑게 얼어붙었다. 바림이 천천히 목소리를 향해 고개를 돌렸다. 눈앞에 커다란 서낭당 나무가 보였다.

세피아

색상 코드 #704214

"커피 향 어때? 괜찮지? 너도 집에 텀블러 많을 거 아니야. 또 사는 것도 그래서, 네 것은 그냥 일회용 컵에 담아 왔어."

바림이 고개를 끄덕이고는 커피 한 모금을 삼켰다. 향이 진했다. 혀끝에 감도는 원두 맛이 부드러웠다. 우유의 고소함과 적당한 단맛도 좋았다. 커피에 특별한 기호가 있는 건 아니었다. 카페라테를 마시면 때론 우유의 비릿한 맛이 느껴지거나 맹탕인 경우도 있었다.

바림에게 커피란 카페인 보충제 이상도 이하도 아니었다. 학원에서 그림을 그리다 졸음이 몰려오거나 더는 집중이 안 될 때, 제일 먼저 편의점과 테이크아웃 카페를 찾았다.

"가격이 저렴해서 큰 기대 안 했는데, 정말 향도 진하고 맛

있지 않니? 어르신들도 편하게 주문하시라고 전용 메뉴판도 따로 만들어 놨어."

"전용 메뉴판이 뭐야?"라고 묻는 바림에게 이모가 말했다.

"아메리카노는 '까만 커피'. 샷 추가는 '진하게', 더블 샷 추가는 '진하게 더 진하게'. 아이스 아메리카노는 '얼음 동동 까만 냉커피'. 카페라테는 '커피에 우유 많이'. 카푸치노는 '커피와 우유 거품 그 위에 계핏가루 톡톡'."

"와! 그럼 나는 지금 '커피에 우유 많이'를 마시는 거네?"

"나는 '까만 커피 진하게 더 진하게'를 마시는 거고."

두 사람이 키득키득 소리 내어 웃었다.

"카페 이름도 '올제'야."

"카페 올제? 카페 올 때라는 사투리?"

이모가 아니라는 듯 고개를 내저었다.

"나도 그런 줄 알았는데 올제는 '내일'의 순우리말이래. 오늘도 내일도 또 오시라는 뜻도 있고, 오늘보다 내일이 더 나아지길 바란다는 의미도 있대. 이름 참 예쁘지 않아? 카페 올제. 그런데 더 멋진 건, 올제 앞에 쉼표가 찍혀 있다는 거야."

"무슨 뜻이야?"

'올제'도 그렇지만, 그 앞에 찍힌 쉼표도 이상했다. 궁금한 것은 못 참는 이모답게 카페 주인에게 그 뜻을 물었다.

"내일은 반드시 오늘을 거쳐야 하잖아. 그러니 내일로 가기 전에 잠시 쉬어 가란 의미래. 카페 사장님 아이디어 진짜 멋지지 않냐? 어떻게 내일이라는 단어 앞에 쉼표를 넣을 생각을 했을까? 세상에는 천재들이 너무 많아."

내일로 가기 전에 잠시 쉬어 가라. 문장에도 악보에도 쉼표가 있었다. 그 순간 바림은 문득 인생에도 누군가 콕 쉼표를 찍어 주면 얼마나 좋을까 싶은 생각이 들었다. 계약 종료보다야 쉼표 쪽이 누가 들어도 훨씬 여유 있고 포근하게 느껴지니까.

우유를 넣은 커피가 부드럽게 목 안으로 넘어갔다. 아메리카노, 카페라테, 카푸치노, 에스프레소 마키아토, 카페모카. 이제는 흔하디흔한 말이 되어 버렸다. 먼 나라의 언어는 가깝게 느껴지는데 '커피와 우유 거품 그 위에 계핏가루 톡톡'이라는 한국어 메뉴가 오히려 낯설었다. 올제가 내일이라는 순우리말인지도 모를 만큼, 세상의 모든 쉼표를 잊어버릴 만큼 사람들은 정신없이 어딘가로 무언가를 향해 휩쓸려 갔다.

커피를 마시던 바림이 흘깃 이모를 곁눈질했다. 한 손에 책을, 다른 한 손에는 텀블러를 쥔 모습이 무척이나 편안해 보였다. 천천히 맛을 음미하는 것을 보면, 이모는 진짜 커피를 마시는 중이었다. 졸음을 쫓기 위해 한입에 커피를 털어

넣던 누구와는 달랐다.

"이모 나 초등학교 때 방학 내내 여기에 있었잖아. 그때 이 동네 아이들이랑 논 적 있어?"

팔랑 책장을 넘기던 이모가 고개를 들었다. 가만히 허공을 응시하는 것을 보니 그 시절 기억을 떠올리는 듯했다.

"여름 방학? 혹시 초등학교 1학년?"

바림이 크게 고개를 주억거렸다. 이모가 손끝으로 관자놀이를 긁적였다.

"네 할머니가 저녁 장사 끝나면 가끔 너 데리고 마실 나간 적은 있었지. 많지는 않았지만, 그때는 동네에 네 또래 애들이 제법 있었을 거야."

"지금은?"

바림이 관심 없는 척 컵을 기울였다. 이모의 시선이 허공에 닿았다.

"네 또래면 고등학생이잖아. 다들 일찌감치 주한으로 나갔지. 경진에 있는 중학교는 규모도 작고 졸업 후에 진학할 고등학교가 없거든. 어쩔 수 없이 다 시내로 가야 해. 초등학교 졸업할 즈음이면 대부분 이사 가더라. 남아 있는 학교들도 몇 년 뒤에 폐교되지 싶어."

분명 중학생은 아니었다. 처음부터 반말을 했고, 바림의 이름까지 알고 있었다. 동갑이거나 한두 살 위일지도 몰랐다. 그럼 대학생일까? 성인이라 하기엔 외모와 차림새가 이상했다. 여자 같기도 하고, 남자처럼도 보였다. 변성기가 지나지 않은 목소리를 봐서는 더더욱…….

"그럼 여기 경진에는 내 또래 없어?"

바림은 엉덩이를 움직여 이모 옆자리로 바투 옮겨 갔다.

"아예 없지는 않아. 경진에서부터 통학하는 애들이 몇 명 있어."

'그래?' 싶은 바림의 표정에 이모가 탁 소리 나게 책을 덮었다.

"혼자 있으려니 심심하지? 내가 친구 좀 소개해 줘? 네 또래라면 마을에……."

"아니, 심심해서가 아니라……. 그런데 내 또래 누구? 남자? 여자?"

까맣고 긴 속눈썹, 석류처럼 붉은 입술, 스케치북처럼 하얀 피부는 분명 여자였다. 큰 키와 단단한 골격은 영락없는 남자였다. 한겨울, 더욱이 깊은 산속이었다. 가만히 있어도 칼바람이 불어왔다. 그런데 파란색 티셔츠에 검은색 바지가 전부라니. 하얗고 커다란 발에는 운동화나 등산화가 아닌, 까만 고무신이 신겨 있었다.

"뭐야 소개해 달라는 거야?"

이모가 입꼬리를 올리며 묻자 바림은 세차게 고개를 내저었다.

"아니 그게 아니라…… 어떻게 생겼어? 혹시 얼굴 하얗고 눈썹 진한……."

"우리 조카님 외모 많이 보는구나?"

"아니라고, 그런 뜻이 아니란 말이야."

어떻게 어디서 알게 되었느냐 묻는다면, 백오산에 올랐다 돌탑을 무너뜨리려는 순간 만났다고 고백해야 할까? 바림이 거칠게 머리를 쓸어 넘겼다.

"오늘 이모가 도서관에 글쓰기 모임 갔을 때 산책하러 가다 내 또래를 본 것 같아서."

"누굴까? 여자? 남자?"

그건 정작 바림이 묻고 싶었다. 하지만 애써 웃는 것으로 대답을 미뤘다.

"말이라도 걸어 보지."

말은 상대가 먼저 걸어왔다. 덕분에 심장이 무너진 돌탑처럼 조각조각 흩어져 버렸다.

"아, 참! 너 젤리 좋아해?"

이모가 무릎걸음을 옮겨 방구석에 던져 놓은 가방으로 다가갔다. 다시 돌아온 이모의 손에는 곰돌이 젤리 한 봉지가 들려 있었다.

"그건 뭐야?"

그 젤리를 처음 본 건 아니었다. 꽤 유명한 상품이었으니까. 바림이 눈으로 가리킨 건 봉지에 붙은 짧은 문구였다.

♡ 감사합니다. 여러분 덕분입니다. ♡

핑크색 종이에 프린트된 글씨체는 행사용 상품에 붙은 광고 문구와 똑 닮았다.

"내가 지난번에 말했잖아. 우리 에세이 모임에 동화로 상 받은 회원이 있다고. 그분이 오늘 당선 턱으로 선물 돌린 거야."

"곰돌이 젤리를?"

감사 인사로 곰돌이 젤리를 선물한다? 뭐 안 될 것은 없지만, 바림은 어쩐지 생뚱맞은 기분이었다.

"감사히 먹고 싶은데, 나 치과 치료 중이잖아. 병원 가려면 주한까지 나가야 해서 귀찮아."

"술은 괜찮고?"

"응. 알코올이라서 소독돼."

바림이 피식 웃으며 젤리를 집어 들었다. 동화 쓰는 사람이라서 그럴까? 아기자기하고 귀여운 것을 무척이나 좋아하는 모양이었다.

'한바림 너는 그림 잘 그려서 좋겠다. 너도 웹툰 작가 해 보면 어때? 잘되면 완전 대박이잖아.'

'이모티콘 디자이너 해 봐. 그건 아이디어만 좋으면 채택된다며? 너는 미술 하니까 훨씬 잘 그릴 것 아니야.'

'너도 일러스트 작가 되는 거야?《제국의 주인》그 웹 소설 알지? 그거 표지 일러스트 내 친구 언니의 친구가 그린 건데, 미대 졸업해서 일러스트레이터로 활동 중이래. 그쪽에서는 완전 유명하다는데. 한바림 너도 나중에 그런 거 하면 잘하겠다.'

'너 초등학교 때부터 그림 그렸다며? 그럼 확실하게 길이 잡혔네. 부럽다. 나는 아직 뭘 해야 할지 모르겠는데. 이미 길이 결정된 애들 정말 부러워.'

'아, 씨! 나도 뭐 하나에 재능 좀 있었으면 좋겠어. 별다른 재능이 없으면 공부라도 잘해야 할 것 아니야. 진짜 신은 불공평해.'

모두들 바림보다 바림의 미래를 더 자세히, 더 구체적으로 알고 있었다. 그런데 정작 당사자는 자신의 앞날이 전혀 보이지 않았다.

'그래도 좋아하는 걸 찾은 게 어디야.'

물론 그림을 좋아했다. 오랫동안 그려 왔다. 그래서 뭐 어쩌라고. 세상 모든 사람이 처음 시작한 일을 평생의 업으로 삼을까? 대학에서 공부한 전공을 살리는 이들은 전체의 10퍼센트도 채 되지 않는다고 했다. 공부 잘하는 애들이 다 학자의 길을 걷는 것도 아니고, 노래를 좋아한다고 다 가수가 되는 것도 아닌데…….

"바림아, 뭘 그리 골똘히 생각해? 곰돌이 젤리가 너한테 뭐라 해?"

이모의 목소리에 바림이 흠칫 놀라 고개를 들었다. 젤리는 어느 틈에 손에 쥐고 있었을까.

"있잖아, 그 젤리를 누가 줬냐 하면……."

순간 침대에 던져 놓은 핸드폰이 부르르 몸을 떨었다. 이모가 화면을 확인하고는 "응, 나야."라고 대답하며 방을 빠져나갔다. 특별한 전화일까? 왜 조카의 눈치를 살피고, 서둘러 방을 나설까? 하지만 괜한 질문은 자제해야 했다. 아무리 조카라지만 이모의 사생활을 캐물을 수는 없었다.

이모 역시 바림에게는 아무것도 묻지 않았다. 단지 손을 다쳤다는 이유로 고등학생이 시골까지 오진 않을 텐데 말이다. 그것도 10년 만에 처음이었다.

바림이 손에 쥔 빨갛고 노란 곰돌이 젤리를 내려다보았다. 어릴 적에 자주 사 먹던 것이었다. 새콤달콤한 맛도 좋았지만, 색색의 곰돌이 모양이 귀여웠다. 젤리만이 아니었다. 사탕과 초코볼, 아이스크림까지 주로 알록달록한 것들만 선택했다. 손에는 늘 색색의 크레파스가 들려 있었다. 바림의 눈앞으로 지중해처럼 새파란 쪽빛이 스쳐 지났다.

"어릴 적 얼굴 그대로 남아 있네. 단번에 알아보겠다. 오랜만이야."

경진에 아는 사람이라고는 여울 이모밖에 없었다. 더욱이 산속에서 바림을 아는 척할 사람은 없었다. 상대는 바림과 비슷한 또래였다. 아무리 키가 크고 골격이 다부져 보여도, 앳된 얼굴은 숨길 수 없었다. 많아 봤자 한두 살 위 아닐까.

"누구세요?"

상대는 오랜만이라 하지만, 바림은 초면이었다. 아무리 기억을 더듬어도 비슷한 이미지조차 떠오르지 않았다. 성별은 차치하고라도 한겨울에 새파란 티셔츠와 고무신 차림이라니. 저런 외모와 패션을 자랑하는 사람이라면 잊고 싶어도 잊을 수 없을 텐데. 바림은 새삼 10년이라는 시간이 길게만 느껴졌다.

"시간이 많이 지나긴 했지. 단번에 기억하리라고는 기대하지 않았어."

그인지 그녀인지 모를 사람이 사뿐사뿐 돌탑이 늘어선 길을 따라 내려왔다. 유독 긴 다리와 개성 강한 패션만 봐서는 모델이라 해도 믿을 것 같았다. 아니면 연예인? 바림은 황급히 체머리를 흔들었다. 지금 중요한 것은 상대의 정체가 아니었다. 어떻게 바림을 알고 있느냐가 먼저였다.

"저기요. 나 알아요?"

"한바림, 10년 지났으니 열여덟. 아! 아니구나. 그새 또 해 바뀌었으니까 열아홉인가?"

'맞지?' 하는 표정으로 상대가 어깨를 들썩였다. 바림이 반쯤 벌린 입을 다물지 못했다. 어떻게 나이까지 기억하고 있을까? 그 순간 한 가지 생각이 빠르게 머릿속을 스쳐 지났다. 혹여 10여 년 전에 경진에서 우연히 만난 또래 친구였을까.

"그럼 혹시 전에……."

"돌탑에 소원 안 빌어?"

상대가 말을 자르며 물었다. 바림은 그제야 왼손이 묵직하단 사실을 깨달았다.

"아니."

바닥에 툭 돌멩이를 떨어뜨렸다. 말이 짧아진 건, 상대의 반말 탓이었다. 어쩌면 돌탑을 운운했기 때문인지도 몰랐다. 언제부터 보고 있었을까? 혹여 탑을 무너뜨리려 했던 것을 지켜봤을까? 그 일을 떠올리자 바림은 얼굴에 확! 하고 뜨거운 기운이 올라왔다.

"정말 미안한데 나는 그쪽이 전혀 기억나지 않아. 기억력이 썩 좋지 않거든. 10년 전 일이라면 더더욱 말이야. 그런데……."

"너 남자니? 여자니?"라고 묻고 싶지만, 마른침을 삼키는 것으로 대신했다. 바림은 초면이라 해도, 상대는 바림을 잘 알고 있었다. 기억도 못 하는데 성별까지 묻는 건 예의에 어긋났다. 세상에는 중성적인 사람도 많으니까. 개성이나 정체성을 어필하려고 일부러 중성적인 모습을 지향하는 사람도 있었다.

"이름이 뭐……야?"

그 한마디에 상대의 입술 끝이 말려 올라갔다. 자신을 기억하려는 바림의 노력이 기쁜 듯 보였다. "너 이름이 뭐였지?"라고 묻지 않았다. 과거형으로 묻는다는 건, 두 사람의 관계를 인정한다는 의미가 될 테니까.

"다음에 만나면 알려 줄게."

"다음에?"

"그사이에 기억날지 모르잖아."

아이가 붕대가 감긴 오른손을 쳐다보았다. 바림이 재빨리 등 뒤로 손을 감췄다. 당황한 건 오히려 바림이었다. 긴장하는 스스로가 한심하게 느껴졌다. 대체 저 아이가 뭐라고…….

"손은 왜 그런 거야?"

"길에서 넘어졌어."

"그렇게 꽉 묶어 놓으면 답답하지 않아?"

아이가 까만 눈동자를 반짝이며 물었다. 그 모습을 보자 바림은 이상하게 짜증이 밀려들었다. 얼마나 답답한 게 싫으면 한겨울에도 얇은 외투는커녕 달랑 티셔츠 차림일까? 바림의 시선이 아이의 새파란 티셔츠에 닿았다.

"며칠 안 됐어. 답답할 정도는 아니야."

커다란 구름 떼가 해를 감싸자, 사위는 짙은 어둠 속에 파묻혀 버렸다.

"그럼 다행이고. 너무 꽉 묶어 놓아서 나중에 못 풀면 어떡해?"

"장난해? 누가 붕대를 못 풀 정도로 꽉 묶어 놔. 안 풀리면 가위로 자르면 되지."

바림이 어이없는 표정으로 서 있는데, 파란 티셔츠가 허공에 딱! 손가락을 튕겼다.

"아, 그렇구나. 안 풀리면 그냥 다 잘라 버리면 되지? 고르디아스 매듭을 잘라 버린 알렉산드로스 대왕처럼 말이야."

고르디아스 매듭이라면,《명화 이야기》라는 책에서 본 적이 있었다. 알렉산드로스 왕이 매듭을 자르기 위해 단검을 높이 쳐들고 있는 장면을 묘사했는데, 왕이 걸치고 있는 푸른색의 빛나는 망토가 꽤 인상적이었다.

"무슨 소리를 하는 거야?"

바림이 엉뚱한 생각을 털어 버리듯 힘주어 말했다. 사람에게 괜한 선입견을 갖지 않도록 항상 노력하지만, 아무리 생각해도 옷차림부터 말투까지 모두 이상했다. 저런 특이한 아이라면 절대 기억에서 지워지지 않았을 텐데.

"빨리 낫기를 바란다고. 상처를 너무 오래 꽁꽁 싸매 놓는 것도 좋지 않잖아."

이 말을 끝으로 파란 옷의 아이가 가볍게 몸을 돌렸다. 강한 바람에 나무에 쌓인 눈꽃이 흩날렸다. 마른 가지들이 몸을 뒤척이며 우스스, 차르르 소리를 냈다. 조금만 건드려도 쓰러질 듯 위태로운 돌탑은, 신기하게도 미동조차 하지 않았다.

아이가 사라진 뒤에도 바림은 한동안 멍하니 그 자리에 서 있었다.

컵을 기울이던 바림이 퍼뜩 정신을 차렸다. 어느 틈에 커피는 바닥을 보였다.

"뭐야 갑자기 나타나서 제 소개도 없이."

바림이 손에 쥔 빈 컵을 신경질적으로 바닥에 내려놓았다. 빙판에 넘어져 다친 곳이 손이 아닌 심장인 것 같았다. 그것이 오늘 낮에 산에서 만난 파란 티셔츠의 전부였다. 이름과 사는 곳, 나이와 성별도 모르지만, 그렇기에 오히려 머릿속에 쾅쾅 각인되어 버렸다. 무릇 풀리지 않는 수수께끼는 사람을 오랫동안 귀찮게 하는 법이니까.

삐거덕 방문이 열리며 통화를 끝낸 이모가 안으로 들어섰다.

"누구야?"

"그냥 친구."

그런데 왜 나가서 받냐고, 묻고 싶지만 바림은 애써 모른 척했다. 괜한 참견으로 이모를 불편하게 만들고 싶지 않았다.

"우리 조금 전에 무슨 얘기 했지?"

침대에 걸터앉으며 이모가 물었다. 그사이 생각은 낮에 만난 아이에게로 쏠렸던 탓에, 이모랑 방금까지 어떤 이야기를 했는지 전혀 기억나지 않았다.

"참, 너 머리 감고 샤워하는 거 내가 도와줄게. 한바림 오랜만에 이모랑 같이 목욕할까?"

"아예 손을 못 움직이는 건 아니야. 물만 안 들어가면 돼. 비닐장갑 끼고 다 할 수 있어."

"농담이었는데 너무 정색하니 좀 서운하다? 너 예전에는 계곡에서 놀다가 홀딱 젖어서 만날 이모가 집에서 씻겨 줬는데."

"응. 10년도 전에."

단호한 한마디에 이모의 시선이 까만 자개장에 닿았다. 세월이 지날수록 은은한 빛으로 반짝이는 장은 침대와 스탠드, 테이블 위에 놓인 노트북과도 절묘한 조화를 이뤘다.

"예전에 네 할머니가 네 사진이랑 그림 그린 거 그리고 또 뭐지. 공책에 한자 공부한 것까지 하나도 버리지 않았거든. 상자에 차곡차곡 모아놨는데. 저기 두 번째 칸에……."

이모가 끙 소리와 함께 몸을 일으켰다. 바림이 재빨리 옷깃을 잡아끌었다. 이제 와 케케묵은 추억 따위 꺼내 보았자 아무 감흥도 없을 테니까.

"먼지 나잖아. 나중에."

"그래. 저녁이라 창문 열기도 춥고."

이모가 털썩 침대에 주저앉고는 바림과 눈을 맞췄다.

"마음 편하게 가져."

인간의 언어란 참 이상했다. 아무리 설명을 들어도 이해되지 않는 경우가 있었다. 반대로 단 한마디에 너무 많은 것들이 와닿을 때도 있었다. 이모의 한마디가 물에 떨어진 돌멩이처럼 마음에 파장을 일으켰다. 바림의 시선이 바닥으로 떨어졌다.

"넘어진 김에 쉬어 간다잖아. 틀린 말 아니야. 네 엄마는 괜히 여기 와서까지 공부가 어쩌고 내신이 어쩌고 하는데, 됐다고 그래. 여기는 공부하는 곳 아니야. 그냥 쉬는 곳이지. 다른 생각 말고 잠 많이 자고 맛있는 거 많이 먹고 해. 그게 네가 할 일이야."

세상에 모든 사람이 이모 같은 마음으로 살면 얼마나 좋을까? 바림은 문득 그런 생각이 들었다. 같은 자매지만, 이모와 엄마의 성격은 판이했다. 지극히 현실적인 엄마는 계획과 그에 따른 결과를 중시했다. 그에 반해 이상적인 이모는 상황에 따른 감정에 충실했다. 똑같이 책을 만들지만, 아이들의 교재를 연구하는 엄마와 여행 에세이와 문학을 번역하는 이모를 보면 두 사람의 차이를 알 수 있지 않을까.

어느 날 갑자기 그림이 싫어졌다고 한다면 두 사람의 반응 또한 첨예하게 대립할 것이다. 이모는 알 수 없지만, 적어도 엄마의 반응은 크게 고민하지 않아도 알 수 있었다.

"정말 못난 딸이야, 나는."

바림이 힘없이 말했다.

"네가 왜 못난 딸이야. 엄마랑 아빠한테는 네가 전부야. 알아?"

이모의 위로가 바림의 가슴을 아프게 짓눌렀다. 그동안 들인 노력과 시간은 차치하더라도, 부모님의 경제적 지원을 생각하면 쇳덩이가 묶인 듯 온몸이 무거워졌다. 학원비, 교재비, 방학 특강비까지 지금까지 바림에게 들어간 돈이 한두 푼은 아닐 테니까.

"이모, 만약에 내가 지금이라도……."

커다란 과일 씨가 목에 걸린 기분이었다. 그 망설임이 또다시 바림의 목을 움켜쥐었다.

"지금이라도 뭐? 집에 간다고?"

"왜, 집에 보내고 싶어?"

"너 오늘 되게 삐딱하다."

이모가 팔짱을 낀 채 두 눈을 가늘게 떴다. 바림이 어색한 표정으로 쓰게 웃었다. 이모에게 괜한 심술을 부려 봤자 아무것도 해결되지 않았다. 그나마 이모와 함께 있으니 어지러웠던 마음을 조금은 가라앉힐 수 있었다. 만약 이모의 입에서도 내신과 특강, 고3 같은 말들이 줄줄이 나왔다면 정말 숨이 막혔을 테니까.

고작 열아홉일 뿐인데, 10년이 지나도 스물아홉일 뿐인데, 사람들은 너무 쉽게 늦었다 말했다. 열여덟에 처음 그림을 시작한 해미에게도, 그림을 그만두려는 바림에게도 모두 다 같은 말을 했다.

"이모, 또 떠나고 싶지 않아?"

바림이 슬쩍 대화의 방향키를 돌렸다. 역마살이 껴도 단단히 낀 둘째 딸, 객사한 귀신 붙은 둘째 딸. 예전에 마을 사람들은 이모만 지나가면 등 뒤에서 수군거렸다. 집에 돌아오기 무섭게 짐을 꾸리는 파란 지붕 둘째 딸을 사람들은 전혀 이해하지 못했다. 하지만 이모는 누구보다 자신의 삶에 충실했다. 세계를 여행하고 낯선 문화를 경험하며 그곳의 친구들과 추억을 만드는 것. 사실 누구라도 한 번쯤 꿈꾸었던 인생이 아니었을까? 어쩌면 사람들은 부러웠는지도 몰랐다. 거칠 것 없이 자유로운 이모의 날개를, 원한다면 어디로든 날아갈 수 있는 그 용기를 말이다.

이모가 경진에서 머문다 했을 때 엄마는 괜한 소리라며 믿지 않았다. 머지않아 비행기에 오를 것이라며 고개를 내저었다. 그런데 이모는 벌써 몇 년째 파란 지붕을 벗어나지 않고 있었다. 특별한 용건이 없으면 집 밖으로도 나가지 않았다. 그 모습이 신기한 건 바림도 마찬가지였다.

"떠나고 싶어지면 그때 또 가면 되지."

이모가 툭 한마디 내뱉고는 부드럽게 미소 지었다.

"전에는 좀 전투적이었던 것 같아."

"전투적?"

바림이 물었다.

"더 많은 것들을 경험해 보고 싶다는 강박 같은 거? 기회가 왔을 때 잡아야 하고, 배워야 하고, 떠나야 하고, 과감히 도전해야 한다고 믿었어. 꾸물거리거나 주저하면 기회가 두 번 다시 오지 않을 것 같았거든."

"지금은?"

"글쎄?"라고 말하며 이모가 두 손바닥을 내보였다.

"나 사십 대잖아. 적당히 타협해도 인생이 망가지지 않는다는 걸 깨우쳤지."

"세상이랑?"

"아니. 나랑. 너, 스스로를 달래면서 잘 데리고 사는 게 얼마나 어려운지 알아? 가끔 말이야. 내가 나한테 이유도 모른 채 끌려다닐 때가 있었거든. 그걸 잠시 스톱 한 거야."

이모가 개구쟁이 같은 표정으로 맑게 웃었다.

"여행은 젊을 때나 가능하다고 믿었어. 인생이 기간 한정 세일 상품도 아닌데 말이야. 얼마나 바보 같았는지. 그래서 적지로 날아가는 전투기 같았나 봐."

이모가 말을 멈추고 잠시 침묵했다.

"엄마 피곤하다며 일찍 잔다고 하셨어. 그게 마지막이 될 줄 누가 알았을까. 엄마 그렇게 보내고 한동안 아무 생각도 나지 않더라. 대체 뭘 위해 그렇게 여행을 다니고 글을 썼을까? 혹시 누가 알아? 피곤해서 침대에 잠깐 누웠는데 그게 삶의 마지막이 될지……."

초등학교 2학년 때였다. 열 살에게 죽음은 하늘을 날아다니는 양탄자와 노래하는 주전자보다 훨씬 더 비현실적으로 다가왔다. 상대가 할머니라서 더더욱 그랬을 것이다. 어린 손녀도 이럴진대 평생을 할머니 그늘 밑에서 살아온 엄마와 이모는 어땠을까? 아침에 일어났는데 해가 사라지고 영원히 밤인 세상이 온 것 같지 않았을까.

"어휴, 뭐야. 나 지금 되게 꼰대 발언했지. 참 너 아까 친구 얘기 안 했니? 이모가 한 명 소개해 줄까?"

"아는 애 있어?"

소개해 달란 의미가 아니었다. 다만 그 신비한 파란 티셔츠의 정체를 알고 싶었다. 다음에 보면 이름을 알려 준다고 했는데, 그 말인즉슨 이 마을에 산다는 뜻이 아닐까.

"그냥 이 마을에 내 또래가 있나 싶어 물어본 거야. 소개는 무슨. 어린애도 아니고."

"열아홉이면 어린애 맞거든. 앞으로 강산이 두 번 바뀌어도 서른아홉이야. 지금 내 나이보다 적어. 너 진짜 애기다, 한바림."

서른아홉은 과연 어떤 모습일까? 타임머신은 발명되지 않았으니 20년 후에 한바림을 만나기 위해서는 꼬박 20년을 살아 낼 수밖에 없었다. 어쩌면 버텨 낸다는 것이 더 정확한 말이겠지만…….

'한바림 너 그때 진짜 왜 그랬냐?'

20년 뒤 한바림에게 괜한 원망 따위는 듣고 싶지 않았다. 그러기 위해선 지금 어떤 결정을 내려야 하는지, 정작 열아홉의 한바림은 전혀 알 수 없다는 것이 가장 큰 문제지만…….

"그러니까 부끄러워 말고 이모한테 부탁할 거 있으면 해."

"알았어. 걱정하지 마."

바림이 서른아홉이 된다면 이모는 육십 대가 될 것이다.

만약 그때가 되면 이모는 바다가 내려다보이는 고급 리조트가 아닌, 아마존 정글 숲을 걷고 있을지도 몰랐다. 이모의 말처럼 모험은 젊음의 특권이 아니니까. 지금보다 훨씬 더 강한 열정으로 세계 오지를 누비고 다닐지 누가 알까? 다른 누구도 아닌 여울 이모라면 충분히 도전 가능했다.

"내일은 잡지 원고 보내야 하고 서면 인터뷰도 작성해야 해서 좀 바쁠 거야. 우리 그다음 날 주한에 놀러 갈까? 안 그래도 나 잇몸 치료 때문에 치과 가야 하거든. 가는 김에 마트 가서 필요한 것도 사고 맛있는 것도 먹고, 어때?"

바림이 어색한 웃음으로 대답을 미뤘다. 이곳에 와서까지 인파에 휩쓸리긴 싫었다. 왁자지껄한 분위기는 생각만으로도 머리가 아팠다.

"우선 바쁜 일부터 마무리 지어."

심드렁한 한마디에 이모가 탁 바림의 이마를 짚었다.

"아! 툭 하면 놀아 달라, 밖에 나가자, 숙제 도와 달라, 귀찮게 했던 우리의 조카님이 10년 사이에 애늙은이가 돼서 돌아왔네. 너 방금 그 발언 말이야. 완전 회사 부장님 멘트였어."

스케치 마무리 지어, 채색 마무리 지어, 오늘 그림 다 끝내고 가. 지금까지 너무 많이 들어왔다. 듣고 또 듣다 보니 어느 틈에 학원 선생님과 말버릇까지 비슷해진 모양이었다.

"알았어. 너도 귀찮다고 약 거르지 말고 손 관리 잘해야 한다. 나도 손목 통증 때문에 한동안 고생 많이 했어. 하루에 몇 시간씩 자판 두드리니 멀쩡한 손목도 아작 나더라. 젊다고 자신하지 말고 지금부터 네 손목 살살 달래면서 아껴 써."

"……."

"안 그래도 맨날 그림 그리느라 약해 빠진 손목인데 빙판길에 넘어졌으니 얼마나 아팠을까? 내 친구는 뼈에 금 간 것보다 인대 늘어난 게 훨씬 아팠다더라."

손주를 달래는 할머니처럼 이모가 안쓰러운 표정을 지었다. 그 과장된 얼굴이 어쩐지 장난 같아 바림은 실없이 웃었다.

자개장과 노트북이 공존하는 방에는 진한 커피 향이 떠다녔다. 바림은 바닥에 놓인 곰 인형 젤리를 내려다보았다. 도시보다 해가 빨리 지는 경진은 서서히 하늘에 붉고 파란 물감을 흩뿌리기 시작했다.

카키

색상 코드 #495441

"너는 왜 갑자기 미대를 간다는 거야?"

바림이 떡볶이를 오물거리며 물었다.

"더 정확히는 산업 디자인을 전공하고 싶은 거야."

해미가 대답하며 빨간 어묵을 입에 넣었다.

"어쨌든, 너 미술에 관심 없었잖아. 네가 가고 싶어 하는 대학은 실기도 센데……."

바림은 너무 늦은 것 아니냐는 말을 말랑한 떡과 함께 삼켜 버렸다. 하지만 해미의 표정을 보니 소리 없는 질문이 충분히 전달된 모양이었다.

"올해 안 되면 내년에 다시 도전하면 되지."

태연한 표정으로 해미가 말했다. 물을 마시던 바림이 쿨럭

기침했다.

"설마 너 재수까지 생각하고 있는 거야? 야, 미대 입시 재수가 얼마나 어려운지 알아?"

"그러는 넌 해 봤냐? 자기도 안 해 봤으면서."

"꼭 해 봐야 알아? 우리 학원에 재수생들 다니잖아! 그림 조금만 안 풀려도 몸에 시한폭탄 달린 사람처럼 완전 초예민해서……."

"미대 재수생만 그래? 다들 그렇잖아."

해미가 재수까지 각오하는 줄은 미처 생각지 못했다. 처음 미술을 시작한다 했을 때 바림은 살짝 코웃음 쳤다. 기본 데생 실력조차 없는 해미가 실기로 대학을 가겠다니, 혹여 공부가 싫은 탓에 엉뚱한 도피처를 찾는 게 아닐까 싶었다. 간혹 그런 아이들이 있었다. 너무 재미있게 본 웹툰과 애니메이션 때문에, 자신이 좋아하는 아이돌이 미대 출신이라서, 공부보다는 그림이 더 쉬워 보여서 충동적으로 미술을 시작하는 이들이 있었다. 물론 그중 대부분은 간단한 학원 커리큘럼만 듣고도 식겁하여 도망가지만……. 사실 해미도 그런 부류가 아닐까 하고 의심했다. 그런데 해미는 이미 재수까지 생각하고 있었다. 절대 가벼운 호기심이 아니란 뜻이었다.

"나 독특하고 개성 있는 물건을 좋아하잖아. 내가 너한테 선물한 곰 인형 필통, 단순하게 생각하면 헝겊 필통에 귀랑 코랑 눈을 붙인 거지만, 그 작은 변화로 다른 필통이랑 완전 다른 제품이 되는 거야. 기술의 발전만큼 중요한 게 디자인이라는 생각이 들어. 기술은 인간을 편리하게 만들지만, 디자인은 사람을 행복하게 만들거든."

해미가 손에 쥔 포크를 내려놓고는 바림을 향해 상체를 기울였다.

"예전에 엄마 차 타고 가는데. 라디오에서 이런 노래가 나오는 거야. 그대 내게 행복을 주는 사람. 내가 가는 길이 험하고 멀지라도 그대 내게 행복을 주는 사람."

해미가 흥얼흥얼 노래를 불렀다. 바림도 어디선가 한 번쯤 들어 본 멜로디였다.

"그 노래를 듣는데 괜히 가슴이 두근거리더라. 와, 나도 누군가에게 행복을 주는 사람이었으면 좋겠다는 마음이 들어서. 그래서 생각했지. 그럼 나는 언제 행복을 느낄까? 신기한 것들 볼 때, 재미난 디자인 소품을 살 때. 그럼 다른 사람도 그렇지 않을까. 귀엽고 특이하고 재미난 디자인을 보면, 나처럼 행복하고 기분이 말랑말랑해지지 않을까?"

해미가 가슴에 두 손을 모으며 흥분해 말했다. 바림은 반쯤 벌린 입을 다물지 못했다.

"그러니까 네 말은, 라디오에서 들은 노래 때문에 갑자기 산디과를 가고 싶어졌다고?"

웹툰과 웹 소설 표지 일러스트, 좋아하는 애니메이션과 동경하는 스타의 전공 때문에 미대를 선택한 이들과 해미는 전혀 다를 게 없었다. 오히려 전자인 경우보다 훨씬 더 현실성이 떨어져 보였다. 다른 것도 아닌 우연히 들은 노래 한 곡으로 대학과 전공을 선택한다고? 지금 장난해? 힘 있게 고개를 끄덕이는 해미를 보며 바림이 버럭 소리쳤다.

"야, 말이 돼?"

"뭐가? 내가 행복을 주는 사람이 되고 싶다는데? 그게 왜 말이 안 돼?"

"그런데 왜 하필 디자인이야? 그렇게 따지면, 행복을 줄 수 있는 건 신학도 있고 문학도 있고 사회 복지도 있고 심리학도 있고 정신 분석도 있고 의학도 있고……."

"한바림, 지금까지 뭘 얘기 들은 거냐?"

해미가 한심하다는 듯 쯧쯧 혀를 찼다. 이번에 두 눈을 끔뻑인 건 바림이었다.

"내가 행복을 주기 전에, 내가 행복한 순간을 먼저 떠올렸다고 했잖아. 내가 행복해야 남에게 행복을 주는 사람이 될 수 있는 거야. 나는 신학, 문학, 사회 복지, 심리학, 의학보다 참신하게 디자인한 물건을 볼 때 더 행복하다고요."

해미가 노란 단무지를 아작거리며 말을 이었다.

"미대 입시를 시작하는 건 늦었을지 몰라도, 내가 행복해지는 일을 찾은 건 전혀 늦다고 생각하지 않아. 걱정했지만 막상 시작하니 재미있어. 그래서 좋아. 뭐! 하고 싶은 일 찾으려면 거룩한 신의 계시라도 받아야 하냐? 그냥 갑자기 필이 팍 꽂혀서 시작할 수도 있지?"

아삭아삭 단무지 씹는 소리가 유독 크게 들려왔다. 해미가 흘낏 바림을 쳐다보았다.

"너는 그림을 왜 그리는데?"

"……."

"응?"

"몰라."

바림이 물컵을 집어 들었다.

"너야말로 말이 되냐? 너처럼 오래 미술 한 애가 모르긴 왜 몰라."

미술을 갓 시작한 해미는 모를 것이다. 때론 너무 오래 해왔기에, 숨 쉬는 것만큼 익숙해졌기에, 정작 왜 하는지 그 이유조차 알지 못하는 사람이 존재한다는 사실을…….

그날 해미와 먹은 떡볶이는 평소와 달리 너무 달고 맵고 짰

다. 그 때문에 바림은 밤늦도록 속이 뒤틀렸다. 우유를 마시고 위장약을 먹어도 좀처럼 쓰린 속은 낫지 않았다.

바림의 곁으로 등산객들이 스쳐 지났다. 옷차림으로 보아 마을 사람은 아닌 모양이었다. 저들도 돌탑을 쌓았을까? 어떤 소원을 빌었을까? 바림은 문득 궁금해졌다. 걸걸한 목소리가 서서히 등 뒤로 멀어져 갔다. 조금만 더 올라가면 서낭당과 돌탑이 나올 것이다.

붕대 감긴 손을 보며 이모는 아팠을 거라 했다. 많은 이들이 이렇게 말했다. 그런데 파란 티셔츠만은 달랐다. 손을 다쳤다고 하자 답답하겠다고 했다. 붕대를 너무 꽉 묶었다는 둥, 안 풀리면 어떡하냐는 둥, 계속해서 엉뚱한 질문을 던졌다. 하긴 한겨울에 겉옷조차 입지 않은 아이였다. 어딘가 조금, 솔직히 많이 이상해 보였던 건 사실이었다. 그러나 정작 이상한 건 바림 자신이었다. 충분히 흘려들어도 될 말이었다. 특별한 의미를 둘 필요는 없었다. 그럼에도 그 한마디가 자꾸만 머릿속에 맴돌았다. '그렇게 꽉 묶어 놓으면 답답하지 않아?' 아이가 물은 건 다친 손이 아닌, 다른 무엇이지 않을까 하는 생각이 들었다.

이모에게는 산책하러 다녀오겠다고 했다. 거짓은 아니었

지만, 산에 간다는 말은 하지 않았다. 혹시 그곳에서 파란 티셔츠를 다시 만날 수 있을까? 이번에는 적어도 이름은 물어볼 수 있을 것이다. 바림이 어금니를 사리물며 두 다리에 힘을 주었다. 의도한 것은 아니었지만 어제와 비슷한 시간에 산을 올랐다. 어쩐지 그래야만 그 기묘한 상대를 다시 만날 수 있을 것 같았으니까.

한참을 올라가니 눈앞에 어제 본 돌탑이 나타났다. 물소리도 점점 더 가까이에서 들려왔다. 비강 가득 신선한 숲의 공기가 스며들었다. 돌탑이 가까워지자 바림은 이상하게 가슴이 두근거렸다. 분명 산을 올랐기 때문이라 생각했다. 아니, 그렇게 믿고 싶었다.

천천히 걷는다고 했는데 어느 틈에 서낭당까지 와 버렸다. 저마다의 소원을 담은 돌멩이들은 여전했다. 바림이 목을 가다듬고는 나무를 올려다보았다. 처음 목소리가 들려왔던 곳이 저 나무 뒤였다. 금방이라도 배시시 웃으며 불쑥 파란 티셔츠가 나올 것만 같았다. 바림이 기웃이 목을 빼 돌탑 뒤를 바라보았다.

이름까지 알고 있는 것을 보면 과거에 한 번쯤은 마주했을 것이다. 바림이 파란 지붕 집 두부 할머니 손녀라는 사실도 알 터였다. 손바닥만큼 작은 동네였다. 그사이 두부 할머니 손녀가 내려왔다는 사실이 마을에 쫙 퍼졌을 것이다. 이모는 마을의 유명 인사이니까.

'네 할머니가 저녁 장사 끝나면 가끔 너 데리고 마실 간 적은 있었지. 많지 않았지만, 그때는 동네에 네 또래 애들이 제법 있었을 거야.'

이모의 말이 사실이라면, 할머니와 저녁 마실 갔을 때 만난 친구일까. 이모가 거짓말할 이유도 없을 테니. 낮에는 거실에 누워 방학 숙제를 하거나 TV 애니메이션을 봤으니까. 그러다 무료해지면 이모를 따라 백오산 계곡에 가서 물장난하며 놀았다.

"아무것도 떠오르지 않아. 어떻게 기억이 전혀 안 날 수가 있지?"

상대는 10년도 더 지나서 만난 바림을 단번에 알아보았다. 더욱이 이름까지 기억했다. 분명 가까운 사이였음이 틀림없었다. 그런데 아무리 머릿속을 헤집어 봐도 그 아이의 모습은 떠오르지 않았다. 비슷한 이미지조차 남아 있지 않았다.

그 순간 멀리서 발걸음 소리가 들려왔다. 바림이 깜짝 놀라 고개를 들었다. 그러나 새파란 티셔츠는 보이지 않았다. 나이 지긋한 할아버지가 터벅터벅 산에서 내려오고 있었다. 바림의 입에서 안도인지 실망인지 모를 한숨이 흘러나왔다.

"날씨도 추운데 학생이 산에는 어인 일이신가?"

할아버지가 물통에 약수를 담으며 물었다. 바림이 서낭당으로 시선을 옮겼다. 옹이 지고 거친 모습이 어딘가 비슷한 느낌이 들었다. 나무 기둥으로 할아버지를 표현하면 어떤 이미지가 나올까? 문득 궁금한 생각이 들었다.

"아이고, 어디서 넘어졌나 보네."

붕대 감긴 오른손을 보며 할아버지가 혀를 찼다. "네."라고 대답하고는 바림이 물었다.

"혹시 이 근처에 집이 있나요?"

"집? 여기 산에?"

고개를 주억거리자 할아버지가 허공에 손을 내저었다.

"아이고, 산에 집 지으면 큰일 나. 안 그래도 봄가을에 외지 사람들 오면 산이 쓰레기 천지가 되는데, 경치 좋다고 별장인가 뭔가 짓기 시작해 봐. 산도 엉망이 될 뿐더러 저 계곡물은 또 얼마나 지저분해질 거야."

할아버지가 쯧 소리를 내뱉고는 움푹 파인 회색 눈으로 바림을 곁눈질했다.

"그런데 어린 학생이 그건 왜? 여긴 집 같은 거 없어."

산에서 우연히 만났다고 꼭 근처에 산다는 법이 있을까. 바림은 자신의 단순함에 얼굴이 화끈거렸다.

"우리 마을이 콩 농사가 잘되고 두부가 맛있는 것도 다 물이 좋아서지. 그깟 몇 푼 더 벌자고 외지 사람들 잔뜩 몰려오게 해서는 안 되는데 말이야. 나 같은 늙은이가 말해 봤자 씨알도 안 먹히겠지만, 예로부터 이 고장은 물이 깨끗하기로 유명했거든."

할아버지가 약수를 한 모금 마시고는 손등으로 입을 닦았다.

"혹시 동네에 찾는 사람이라도 있으신가?"

바림이 이 마을 사람이 아니라는 사실쯤은 이미 눈치챘을 것이다. 할아버지는 서낭당에 제를 올리던 시절부터 이곳에서 살아오셨을 테니까. 그때는 몰랐을 것이다. 마을에 어린아이 울음소리가 귀해질 날이 오리라고는. 누군가에게는 귀한 삶의 터전이 또 다른 이에게는 한낱 꽃놀이에 불과한, 이렇듯 냉혹한 현실과 마주할 줄은 상상조차 못 하셨겠지.

"저 위에서 내려오셨어요?"

"응. 운동 삼아서. 나이 들어 안 움직이면 몸이 금세 굳어버리니까. 젊었을 때는 이깟 산 넘는 것쯤이야 일도 아니었는데. 옛날에는 산 너머에도 큰 마을이 있었거든."

"……."

"뭐 그리 빨리 가겠다고 안 그래도 좁아터진 땅에 죄다 길들만 뚫어 놓는지 모르겠어. 좀 돌아간다고 못 갈 것도 아닌데. 하여간 요즘 사람들 너무 빠른 것만 좋아해."

우듬지에서 불어온 바람이 두 사람을 휘감았다. 할아버지가 추운 듯 몸을 떨었다.

"어서 내려가요. 날씨가 추워 감기라도 걸리면 큰일 나."

작고 굽은 어깨가 총총히 산에서 내려갔다. 바림이 눈을 들어 마른 가지로 서 있는 나무를 바라보았다. 환영이라 하기엔 너무 선명했다. 생김새와 목소리마저 또렷하게 남았으니까. 더욱이 상대는 바림의 이름까지 알고 있지 않은가.

'다음에 만나면 알려 줄게. 그사이에 기억날지 모르잖아.'

바림이 왼손으로 머리를 쓸어 넘기고는 힘없이 웃었다.

"나 지금 뭐 하고 있냐?"

아무리 생각해도 스스로가 바보처럼 느껴졌다. 장난 같은 한마디에 쪼르륵 다시 오다니. 그 순간 주머니 속 핸드폰이 몸을 떨었다. 바림이 정신을 차리고는 화면을 그었다.

"너 어디야?"

"응? 그냥 동네지."

"집 근처 아니야?"

글쎄. 근처라면 근처일 수 있지만, 돌아가려면 다소 시간이 필요했다.

"왜, 이모? 무슨 일 있어?"

"아니, 특별한 일은 아닌데. 아무튼 지금 바로 못 와?"

"알았어, 지금 가."

더는 돌탑 앞에서 서성일 이유가 없었다. 간절히 이루고 싶은 소원조차 떠오르지 않으니까. 바림이 점퍼 주머니에 손을 찔러 넣고 터벅터벅 길을 내려갔다. 흘낏 뒤돌아보았지만, 여전히 싸늘한 바람만이 머물고 있었다. 푸드덕 날아오른 새가 허공에 원을 그리고는 한 점처럼 멀어져 갔다.

"나 아직 동심 안 잃어버렸네."

바림이 뒤돌아 산에서 내려갔다.

거실에 올라서자 싱크대에서 그릇을 닦던 이모가 뒤돌아섰다.

"금방 온다더니 왜 이제 와?"

금방 온다는 말은 하지 않았다. 그냥 간다고만 말했을 뿐이다. 한달음에 올 수 있는 거리도 아니거니와 평소답지 않게 걸음이 는적거렸다.

"급한 일이라도 있었어?"

이모가 머그잔에 뜨거운 물을 따랐다. 주방 가득 쌉싸래한 생강향이 퍼져 나갔다. 마실지 묻는 눈짓에 바림이 괜찮다며 고개를 내저었다.

"오늘 생강차 인기 없네. 하긴 네 나이에 생강차 맛을 아는 것도 웃기겠다."

"오늘?"

이모가 식탁 위에 머그잔을 내려놓았다. 바림이 맞은편 의자를 끌어내 앉았다.

"귀한 손님이 와서 너 소개해 주려고 했지?"

"누군데?"

후후 소리에 허공에 피어오르던 김이 사라졌다. 이모가 생강차 한 모금을 천천히 마셨다.

"동화 작가님."

"그 동화제 수상하신 분?"

이모가 "응, 맞아."라고 대답하고는 생강처럼 톡 쏘는 미소를 내비쳤다.

"그런데 나를 왜 소개해 줘?"

"예술가들의 만남이라고나 할까? 문학과 그림. 뭔가 통하는 게 있을 것 같아서."

예술이라는 말에 불에 댄 듯 두 볼이 뜨거워졌다. 바림이 얼굴을 쓸어내렸다.

"이모, 나는……."

'너는 뭐?'라는 소리 없는 질문이 귀가 아닌 가슴으로 들려왔다. 그 대답은 여전히 찾을 수 없었다. 환경을 바꾸면 복잡한 생각이 정리될 줄 알았다. 하지만 창문 밖에 산이 보인다고 해서 달라지는 것은 없었다. 어지러운 머릿속에는 아무렇게나 휘갈긴 그림들만이 가득했다.

처음에는 그림이 늘지 않아 속상한 줄로만 알았다. 그러나 시간이 지날수록 같은 자리에 멈춰 있는 실력에 짜증이 났다. 왜 계속 그리고 그려도 앞으로 나아가지 못할까? 종국에는 실력이 전보다 더 퇴보하는, 믿을 수 없는 지경에 이르렀다. 전에 없던 실수를 반복하고, 기본적인 형태조차 제대로 표현하지 못했다.

몇 날 며칠을 밤새워 고민했지만, 답은 의외로 간단했다. 아무 생각 없이 펜을 잡고 물감을 섞고 채색을 반복할 뿐이었다. 그것은 마치 눈도 제대로 떠지지 않는 상태에서 아침마다 욕실로 들어가 세수를 하는 모습과도 같았다. 아무런 생각도 의지도 들어 있지 않은 습관적 반복. 슬럼프나 번아웃이라 생각했고 벗어나기 위해 갖은 노력을 했다. 사용하던 붓을 바꾸고, 평소 써 보지 않았던 브랜드의 물감을 사고, 앞치마의 색깔에도 변화를 주었다. 분위기를 환기하면 수렁에서 빠져나올 수 있으리라 믿었으니까.

그러나 아무것도 나아지지 않았다. 진짜 문제가 무엇인지 바림도 모르지 않았다. 다만 그 엄청난 진실과 마주할 용기가 생기지 않았다. 부모님의 얼굴이 떠오르고, 지금까지 쌓아 왔던 시간과 노력도 생각났다. 어쩌면 그것들에 떠밀려 여기까지 왔는지도 몰랐다. 경제 시간에 배웠던 매몰 비용 오류가 무엇인지 바림은 피부로 알게 되었다.

'나는 그림이 싫어졌어. 이제 지겨워졌다고. 왜 그런지는 나도 모르겠지만 더는 정말 싫어.'

이 한마디가 보이지 않는 가시처럼 바림의 목 깊숙이 박혀 버렸다. 삼킬 수도 빼낼 수도 없는 망설임은 시간이 지날수록 점점 더 가슴을 파고들었다.

"나 예술가 아니야."

"너 예술가야."

이모가 싱긋이 웃으며 말을 이었다.

"어릴 적부터 지금까지 쭉 화가였고 아티스트였어."

화한 생강 냄새가 후각이 아닌 촉각으로 느껴졌다. 맵고 싸한 감각이 온몸으로 퍼져 나갔다.

"이모, 나 먼저 가서 쉴게."

바림이 방으로 돌아와 풀썩 바닥에 주저앉았다. 처음에는 핸드폰을 사용하는 것조차 쉽지 않았는데, 어느새 왼손을 쓰는 일에 익숙해졌다. 간단한 답은 왼손으로 적을 수 있었고, 젓가락질도 그럭저럭 할 만했다. 조금 더 시간이 흐른다면 왼손으로 요리까지 가능할지 몰랐다.

"적응하기 나름이네."

주머니에서 또다시 진동음이 들려왔다. 바림이 손가락으로 화면을 그었다.

"한바림. 뭐해?"

목소리가 울리는 것을 보니, 학원 복도임이 틀림없었다. 방학에는 온종일 학원에만 묶여 있어야 했다. 집이 먼 아이 중 몇몇은 지하철 첫차를 타고 왔다 막차를 타고 돌아가는 일도 있었다. 그렇게 잠깐 눈만 붙이고 일어나 다음 날이면 잔뜩 졸린 얼굴로 또다시 학원 문을 열었다. 흔히 말하는 한국식 스파르타 교육이 미술이라고 절대 비껴갈 리 없으니까. 바림은 교실에 틀어박혀 하루하루 그림만 그리는 생각 없는 좀비가 되는 것 같았다.

"쉬는 시간?"

바림이 물었다. 해미가 대답 대신 하품을 했다. 남들보다 늦게 시작한 만큼 남들의 두 배는 노력해야 할 것이다. 그렇게 아등바등해도 원하는 결과를 희망하기 어려울 테지.

"한바림 언제 올 거야. 늦어도 다음 주에는 오지? 아니, 꼭 와야 해."

"왜?"

"우리 학원 출신 선배들 특강 온대. 너 S 예대 가고 싶다고 했잖아. 작년에 거기 합격한 선배들도 올 모양이야."

"난 못 가. 우리 엄마가 학원에서 방학 특강비 환불받았을 거야."

전화 너머에서 나른한 하품 소리가 연거푸 들려왔다.

"학원 하루 이틀 다녀? 내가 너도 데리고 온다고 했어. 김쌤이 그러래."

그 순간 머릿속에서 팽팽하게 당겨졌던 무언가가 뚝 하고 끊어져 버렸다. 바림이 왈칵 짜증을 토해 냈다.

"야! 그럼 쌤이 오라고 하지 안 된다고 하겠냐? 그거 방학 특강 신청한 애들만 듣는 거잖아. 나는 특강비 환불받았다고 했지? 그런데 내가 왜 거기서 선배들 얘기를 들어. 아니 그걸 왜 네 맘대로 쌤한테 얘기해? 나한테 먼저 물어 봤어야지."

"한바림?"

"그리고 나 S예대 관심 없어진 지 오래거든?"

"네가 1학년 때 그랬잖아. 그 대학 가고 싶다고. 거기 교수님 중에……."

내가 그런 말까지 했었나? 언제 해미에게 그런 소리까지 했을까? 기억을 더듬어 보지만, 바림은 아무것도 떠오르지 않았다. 아니 떠올리고 싶지도 않았다.

"그거야 1학년 때지. 가고 싶은 대학이야 한 달에도 몇 번씩 바뀌는 거 몰라?"

그만하라고, 유치해서 못 들어 주겠다고, 마음속 목소리가 아우성쳤다. 괜히 너에게 짜증 내 미안하다고 지금이라도 사과해야 하는데, 입에서는 자꾸만 엉뚱한 이야기만 튀어나왔다.

"해미 너는 안 그래? 너 1학년 때 미술에 '미' 자도 생각하지 않았잖아. 그런데 2학년 올라와서 그것도 여름 방학 때 처음 미술 얘기 꺼냈잖아. 주위에서 다들 걱정하는데 너 기어이 하겠다고 고집……."

"야, 한바림……."

해미는 소리치지 않았다. 화를 내지도 목소리를 높이지도 않았다. 그저 조용히 친구의 이름을 불렀을 뿐이었다. 그러나 그 차분함이 거대한 벽이 되어 바림을 막아섰다.

"나 너한테 많이 미안해하고 있어. 나 때문에 손 그렇게 된 거잖아. 내가 괜히 너한테 밖에 나가자고 조르지만 않았어도, 신발이라도 갈아 신게 했어도, 너 다치지 않았을 거야. 중요한 시기에 2주 동안이나 그림 못 그리는 거, 네 방학 계획

엉망으로 만든 거, 전부 나 때문인 거 잘 알아. 그래서 정말 미안하고 속상해."

눈앞에 벽이 갈라지며 균열이 생기기 시작했다. 잘게 부서져 날카로워진 파편들이 바림의 가슴을 할퀴고 찔렀다.

"조금이라도 도움이 될까 싶어서 내가 멋대로 김 쌤한테 너도 온다고 얘기했어. 너한테 미리 귀띔이라도 했어야 했는데. 나는 너도 좋아할 줄 알았어. 어차피 그림 그리는 시간도 아니고 앉아서 듣기만 하면 되니까. 아무래도 내가 잘못 생각한 것 같아. 오히려 학원 오면 네 마음만 더 심란해질 텐데 그 생각까진 못했어. 미안해."

그럼 쉬라는 말을 끝으로 해미가 전화를 끊었다. 바림이 멍하니 까만 화면을 내려다보았다.

오래전, 기억에서도 희미한 어느 날 해미는 산타 할아버지가 그려진 빨간 카드를 내밀었다. 카드를 열기 무섭게 썰매를 끄는 루돌프와 작은 선물 상자가 튀어나왔다. 그것이 팝업 카드란 사실을 몰랐던 바림은 그 어마어마한 카드를 해미가 직접 만들었다는 이야기에 놀라 두 눈을 크게 떴다.

'미술 학원에서 선생님이 도와줬어. 이거 말고 크리스마스트리에 걸 수 있는 종이 양말이랑 눈사람도 만들었어.'

자랑스레 말하는 해미가 바림은 부러웠다. 그 후에도 해미는 종종 단짝 친구에게 신기한 것들을 보여 주었다. 할로윈에 만든 호박 가면과 여름에 만든 거북이 모양 부채, 나무젓가락을 움직이면 춤추는 허수아비까지. 예쁘고 재미난 것들 모두 미술 학원에서 만들었다고 했다. 그렇게 해미를 따라 알록달록한 그림들이 붙어 있는 미술 학원의 문을 열어 버린 것이다.

"해미야, 나는 여전히 네가……."

시간이 백오산의 계곡물처럼 끊임없이 굽이쳐 흘러갔다. 그 길고 긴 세월 동안 많은 것들이 변해 버렸다. 팝업 카드를 자랑스레 보여 주던 여덟 살 꼬마와 그 카드에 영혼까지 빼앗긴 또 다른 꼬맹이는 모두 열아홉이 되었다. 그러나 바림은 여전히 해미가 부러웠다. 그 빛나는 눈이, 자랑스러운 얼굴과 환한 미소가 질투나 훔치고 싶을 정도였다. 뒤늦게 시작한 미술이 재밌다는 말도, 그 고백을 입증하듯 그림에 무섭게 빠져드는 모습도, 서서히 두각을 드러내는 남다른 감각까지. 일말의 두려움과 망설임조차 없는 해미의 선택이 바림은 무엇보다 가장 부러웠다.

"만약 네가 나라면 이렇게 고민하지 않았겠지?"

과감한 시작만큼이나 해미는 끝맺음도 깔끔할 것이다. 지금까지 쌓아 온 것들에 괜한 미련을 갖거나 앞으로 펼쳐질 미래에 과하게 불안해하지 않을 것이다. 해미는 시작하기엔 너무 늦었다는 말도, 그만두기엔 이미 늦었다는 소리도 크게 신경 쓰지 않을 테니까.

'미술 학원 왜 그만두는데?'

'어. 나 태권도 배우려고. 그게 재미있을 것 같아서.'

'미술도 재미있는데…….'

'알아. 나중에 또 배우고 싶을 때 다시 오면 되지. 선생님도 그러라고 했어.'

작은 품으로 바림을 꼭 안아 주던 해미였다. 그리고 해미는 다시 미술을 시작했다. 남들이 뭐라 하든 자신이 진정으로 배우고 싶을 때, 아니 도전하고 싶을 때가 가장 최적기라는 사실을 잘 알고 있었으니까.

"아니야, 해미야. 너 때문에 이렇게 된 거 아니야. 그게 아니라고……."

핸드폰을 움켜쥔 왼손이 가늘게 떨렸다. 다시 전화해 미안하다고 사과해야 했다. 손을 다친 건 절대 해미 탓이 아니었다. 엉뚱한 네가 왜 죄책감을 느끼냐고, 너와는 전혀 상관없는 일이라고 말해야 하는데, 바림은 끝끝내 통화 버튼을 누르지 못했다. 만약 이유를 묻는다면 어떻게 대답해야 할지 막막했다.

"괜찮아요. 일부러 그런 것도 아닌데. 진짜 괜찮다니까요. 전혀 신경 안 쓰셔도 됩니다."

방문 밖에서 이모의 목소리가 들려왔다. 호탕한 웃음소리가 거실에 기분 좋게 울려 퍼졌다. 언제든 자유롭게 날아오를 수 있다는 이모가 부러웠다. 보이지 않는 날개를 가진 사람, 아니 사람들…….

"내 주위에는 온통 부러운 사람뿐이네."

바림이 자리에서 일어나 방문을 열었다. 전화를 받던 이모가 한쪽 눈을 찡긋거렸다.

미드나이트블루

색상 코드 #1d2b56

"정말 안 갈 거야?"

이모는 마지막까지 포기하지 않았다.

"갔다 와. 내가 얌전히 집 지키고 있을게."

바림도 좀처럼 고집을 꺾지 않았다.

"오랜만에 조카랑 데이트나 하려고 했는데. 가서 맛있는 거 잔뜩 사 먹고 오자니까."

햇살이 맑은 날이었다. 아침은 간단하게 토스트에 커피를 마셨다. 점심은 성대하게 먹자는 이모의 말에 바림이 어색한 미소를 내비쳤다. 오랜만에 이모와 데이트를 하고 싶지만, 혼자만의 시간도 필요했다. 어제 해미와 통화한 후 애써 가라앉혔던 마음속에 뿌옇게 먼지바람이 일어났다. 어지러운 생각들이 잠을 쫓아내어 밤새 뒤척였더니 컨디션도 엉망이었다. 이런 기분으로 사람 많고 복잡한 시내에 가는 것이 달갑지 않았다.

“정말 안 갈 거야? 가자, 바림아. 너 필요한 거 뭐 없어? 이모가 사 줄게. 이래 봬도 이모 잘나가는 번역가야. 나름 수입 짭짤하다? 오늘이야말로 이모 제대로 털어먹을 기회야.”

이모에게 바림은 유일한 조카였다. 어릴 때부터 바림이라면 끔찍하게 생각했다. 조카 바보의 원조라고나 할까. 여행을 다녀오면 제일 먼저 바림에게 선물을 건넸다. 이모보다 선물이 먼저 도착할 때도 있었다. 대부분 그림책과 엽서, 미술 도구였고 세계 거장들의 작품이 실린 도록이나 명화집도 많았다. 바림의 방에 걸려있는 명화 대부분이 이모가 세계 유명 미술관을 돌며 구매한 기념품이었다.

“나중에.”

“그래. 당장 내일 올라갈 것도 아니고. 기회는 또 있어.”

이모가 벽에 걸린 연회색 점퍼를 집어 들었다. 부모님과 이모 그리고 선생님까지 이들은 과연 어떻게 어른이 되었을까. 바림은 가만히 그 뭉근한 시간들을 떠올려 보았다. 수없이 많은 선택의 갈림길에 섰을 것이고 그 결과에 스스로 책임을 졌을 것이며 때로는 좌절했을 것이다. 나는 이런 사람이라고 세상에 소개하기까지 얼마나 많은 시행착오를 거쳐 왔을까? 바림은 생각할수록 남은 세월이 까마득하고 멀게만 느껴졌다. 살아간다는 것이 살짝 겁나기까지 했다.

"뭘 그렇게 빤히 봐? 내 얼굴 주름 세어 보는 거야? 원래 글쟁이들은 원고 넘기면 자동으로 타임 슬립해서 5년은 늙어. 알아?"

"멋진데? 온 영혼으로 작품을 완성하니까. 번역도 마찬가지잖아."

"이래서 내가 우리 조카님을 아티스트라 부르는 거지."

이모가 가방 속에서 지갑을 꺼내 들었다.

"여기 멀티플렉스 상영관이랑 백 층짜리 타워만 빼고 다 있어. 동네 슈퍼도 있고 두부과자 파는 데도 있어. 전에 할머니 장사하던 곳 기억나? 여기 큰길로 10분만 내려가면 있는데 거기, 지난번에 말한 카페로 바뀌었거든, 가서 네가 좋아하는 '커피에 우유 많이'도 주문해 봐."

이모가 바림의 손에 오만 원짜리 한 장을 쥐여 주었다.

"이모, 나도 돈 있어."

"어머! 너 모르는구나? 도시 돈은 여기서 못 써! 여기서만 통용되는 지폐가 따로 있거든."

이모의 매력은 이런 순간에서도 느낄 수 있었다. "어른이 주는 건 '네' 하고 받는 거야" 같이 따분하고 권위적인 모습보다야 몇천 배 센스 있지 않은가?

"찾아올 사람도 없지만 혹시 누가 현관 벨 누르면 인터폰부터 확인하고, 웬만하면 문 열어 주지 마."

담장이 낮은 집이었다. 마음만 먹으면 누구나 안으로 들어올 수 있었다. 적어도 마당까지는 말이다. 현관에 CCTV가 설치되어 있고 모든 창은 밖에서는 절대 열거나 깰 수 없게 만들었다. 정겨운 시골 인심만 믿기에 세상은 너무 삭막하게 변했으니까.

"백오와 백호가 오시면 정중히 대접해 드리는 것 잊지 말고."

'당연하지.'라는 표정으로 바림이 웃었다. 이모가 현관을 벗어나자 곧바로 자동차 엔진 소리가 들려왔다.

결국 집에는 객식구 혼자 덩그러니 남아 버렸다. 무엇부터 해야 할지 딱히 떠오르지 않았다. TV나 영화는 물론 책이 눈에 들어올 것 같지도 않았다. 걸음을 옮겨 거실을 가로질렀다. 삐거덕 문을 열자 이모의 방이 나타났다. 창으로 들어오는 햇살만으로도 방 전체가 밝고 환했다. 자개장이 보석처럼 반짝였다.

바림이 손을 뻗어 가만히 자개장을 어루만졌다. 수건으로 정성스레 닦던 할머니의 굽은 뒷모습이 환영처럼 아른거렸다. 코끝으로 고소한 두부 냄새가 느껴졌다. 먼 옛날 기억 속의 할머니는 콩처럼 단단했고 두부처럼 부드러웠다. 그 양분과 정성으로 두 딸을 키워 내셨다.

'예전에 네 할머니가 너 사진 찍은 것이랑 그림 그린 거 또 뭐지. 공책에 한자 공부한 것까지 하나도 버리지 않았거든.'

이모의 목소리와 동시에 하나의 생각이 머릿속을 스쳐 지났다. 바림이 주머니 속 핸드폰을 꺼내 키패드를 입력해 나갔다. 익숙한 벨소리와 함께 곧바로 엄마에게서 톡이 날아왔다.

– 초등학교 여름 방학 때 쓴 일기장? 옷방 상자에 있을 거야. 너 유치원 때 그림일기 쓴 것부터 다 모아 놨으니까. 그런데 그건 갑자기 왜 찾아?

역시 예상은 빗나가지 않았다. 할머니를 닮아 꼼꼼한 엄마였다. 딸의 것이라면 낙서 하나라도 허투루 버리지 않았다. 바림이 서툰 왼손으로 꾹꾹 글자를 새겨 나갔다.

– 엄마한테 별걸 다 시킨다. 그런데 너 진짜 방학 내내 거기 있을 거야? 약은 잘 챙겨 먹고 있지? 아무튼 알았어. 참, 엄마 회사 직원 아들도 작년에 미대 간 거 알지? 그 애 다니던 학원 선생이 유튜브 시작했대. 꿀팁이 많다고 하더라. 링크

보낼 테니까. 쭉 한번 훑어봐. 엄마 회의 들어가야 하니까 나중에 통화하자.

엄마가 보내 준 링크는 열어 보지 않았다. 바림이 어깨를 들썩이며 한숨을 내쉬었다. 만약 사실대로 말한다면 엄마는 뭐라고 할까? 상상만으로도 마음에 추가 하나둘 늘어나는 기분이었다.

바림이 까만 자개장으로 눈을 돌렸다. 오색으로 빛나는 자개들을 보자 문득 알 수 없는 그리움이 밀려들었다. 그 상대가 돌아가신 할머니인지, 10여 년 전 어린 바림의 모습인지 알 수 없었다. 어쩌면 둘 다인지도 몰랐다. 햇살처럼 따뜻하고 포근한 할머니와 그 곁에서 참새처럼 종알거리던 여덟 살 꼬마가 오늘따라 많이 보고 싶었다. 바림의 시선이 창밖에 우뚝 솟아 있는 백오산으로 향했다.

크고 작은, 높고 낮은, 견고하고 불안한 돌탑들을 차례로 지나왔다. 바림이 주위를 살피고는 피식 웃음을 터트렸다. 다음에 만나자 했지만, 정확한 날짜와 시간을 정하지 않았다. 밥 한번 먹자. 술 한잔하자. 얼굴 좀 보자. 지나가는 말을 진짜로 믿은 바보가 된 기분이었다.

오늘은 산길을 조금 더 올라가 보기로 했다. 왼쪽에 돌탑

무리를 끼고 터벅터벅 길을 걸었다. 산길과 동행하듯 굽이쳐 흐르는 계곡도 구불구불 이어져 있었다. 등산객조차 찾지 않는 겨울 산은, 유리구슬처럼 투명한 물길을 품고 있었다. 얼마쯤 걸었을까? 바림의 두 다리가 저절로 멈춰 섰다.

"내려가는 길인가?"

비스듬히 자라고 있는 나무들과 우거진 풀숲 사이로 뱀처럼 이어지는 계곡이 보였다. 잠시 멈춰 선 물길은 작은 호수처럼 웅덩이져 있었다. 계곡으로 내려가는 비탈길에 낡고 마모되어 원래의 형태가 사라진 돌계단이 놓여 있었다.

원래 이곳에 계단이 있었나? 기억을 떠올려 보지만, 그런 자잘한 것까지 생각날 리 없었다. 바림은 고개를 돌려 주위를 한 바퀴 둘러보았다. 잠시 귀를 기울여 보아도 인기척은 느껴지지 않았다. 나무 사이로 들려오는 산새 소리가 괜찮다는 듯 콩닥거리는 마음을 다독여 주었다.

바림이 걸음을 옮겨 아래로 더 아래로 내려갔다. 발을 움직일 때마다 강한 물 냄새가 코끝을 자극했다. 비 오는 날 텅 빈 운동장에서 풍기던 냄새들이었다. 향기에도 색이 있다면 계곡물은 눈처럼 새하얗고 쪽빛처럼 푸를 것이다. 산신령이 가지고 놀다 내버려 둔 공깃돌처럼 크고 작은 바위들이 여기저기 놓여 있었다. 물줄기는 바위 틈새로 휘돌아 흐르고 좁아졌다 넓어지며 야트막했다 깊어지기를 반복했다. 결코 속을 보여 주지 않는 계곡은 너른 바다보다 몇 배 더 위험한 곳이라며, 오래전 할머니는 어린 바림에게 몇 번이나 주의를 시켰다.

바림이 검은 계곡을 굽어보자 머릿속에서 희미한 영상 하나가 떠올랐다. 이모와 함께 물놀이했던 눈부신 여름날이 한 편의 영화처럼 재생되기 시작했다.

바다보다 깊은 곳이 인간의 마음이라 했다. 열 길 물속은 알아도 한 길 사람 속은 모른다는 말이 괜히 생긴 건 아닐 테니까. 바림이 몇 걸음 가까이 다가가 물 앞에 쪼그려 앉았다.

"여름이었으면 벌써 사람들로 북적였겠지."

물이 얼마나 깊은지 알 수 없지만, 수영하기에는 좋은 곳이었다. 사람이 찾지 않는 겨울이라 다행이었다. 고요한 산속에는 물소리만이 가득했다. 간간이 들려오는 산새의 울음과 바람이 나뭇가지를 어루만지는 손길이 느껴졌다. 흘러가는 물을 보자 벌떡이는 가슴이 조금씩 가라앉았다. 자연은 사람의 마음을 편안하게 만드는 힘을 지녔다던데, 그 신비로운 능력이 무엇인지 바림도 알 것 같았다. 그 순간 멀리서 발걸음 소리가 들려왔다. 누군가 계곡으로 내려오고 있었다. 놀란 바림이 튕기듯 자리에서 일어났다.

"어?"

"어!"

두 사람이 동시에 서로에게 손가락질했다. 새파란 티셔츠와 검은색 바지에 고무신을 신은 모습. 눈처럼 새하얀 얼굴에 긴 속눈썹, 큰 키와 다부진 어깨까지. 돌탑에서 만났던 그 아이임이 틀림없었다. 기다릴 때는 없더니 여기는 또 어떻게 알고 찾아왔을까?

"야! 너 여기 왜 있어?"

바림의 손가락은 여전히 파란 티셔츠를 향해 있었다. 아이가 어깨를 으쓱해 보이더니 콕콕 계단을 가리켰다. "내가 못 올 때 왔니?"라는 듯한 짓궂은 표정과 함께.

"그러는 너야말로 여기 왜 있어?"

바림이 풋 웃음을 터트렸다. 두 사람 모두 백오산이 제 것인 양 말하고 있지 않은가. 아이가 성큼 걸음을 옮겨 가까이 다가왔다. 다시 봐도 상대는 어딘가 기묘한 분위기를 풍겼다. 한마디로 정의 내릴 수 없는 그 모습이 바림을 혼란스럽게 만들었다.

"너 어디 살아?"

바림이 물었다.

"여기."

"이 산에는 집 없다고 했어."

생각해 보니 유치한 질문이었다. 마을을 얘기하는 건데, 엉뚱한 산을 운운하다니. 파란 티셔츠가 한쪽 입꼬리를 말아 올리며 비웃는 것도 무리는 아니었다.

"너는 왜 여기 있냐?"

"나야 뭐 그냥……."

"한바림 너, 내 이름은 생각났고?"

아이가 한바림 세 글자를 힘주어 말했다. 나는 네 이름을 기억하는데, 너는 왜 모르냐는 책망 같기도 하고 짓궂은 장난처럼도 들렸다. 바림의 시선이 바닥에 쌓여 있는 돌들에 닿았다.

"그러는 너는 나를 어떻게 기억하냐?"

이번에도 멍청한 질문만 하고 말았다. 기억하는 사람에게 왜 기억하느냐 따지다니, 안 그래도 복잡한 머릿속이 완전히 고장 난 모양이었다.

"한바림, 네가 말이야. 나를."

"……."

"정말 많이 좋아했으니까."

"미쳤냐?"

바림이 꽥 소리를 내질렀다. 이름조차 기억나지 않는 상대를 좋아했다고? 만약 그 말이 사실이라면……. 절대 모르지 않을 것이다. 그 정도 기억력은 탑재하고 있었다. 바림은 자꾸만 상대의 말장난에 말려드는 기분이었다. 요즘 같은 세상에 이름 하나 알아내는 건 그야말로 일도 아닐 것이다. 마을에서 파란 지붕 두부 할머니를 모르는 사람은 없을 테니까. 이모 역시 작가로 소문이 자자했다. 그 집 손녀이자 조카인 바림의 이름 따위 얼마든지 오며 가며 주워듣지 않았을까?

"우리 이모 이 동네에서 유명하잖아. 그전에 우리 할머니도 모르는 사람 없었어."

바림이 힘없는 목소리로 덧붙였다.

"물론 할머니는 오래전 이야기지만."

"알아. 너희 할머니랑 이모."

역시 그렇구나. 바림이란 이름을 아는 건 우연히 얻어걸린 게 분명했다. 이곳에서 주한까지 통학하는 학생들이 있다던데 그중에 한 명이지 싶었다. 패션 감각이 남다르고 괜한 허세까지 겸비한 아주 독특한 캐릭터지만. 어쩌면 먼 옛날, 그러니까 10여 년 전 잠시 알고 지낸 사이였는지도 몰랐다. 여름 방학 동안 함께 놀았던 친구였을 수도 있다. 아주 많이 좋아했다니. 상대가 여자인지 남자인지 모르는데? 성별과 관계없이 진짜 그랬다면 머릿속이 이토록 깨끗한 백지상태로 남아 있지 않았겠지. 절대로.

"할머니가 전에 나 데리고 밤마실 다닌 적이 있다고 했어. 아마 그때 너를……."

"손은 아직도 묶여 있네?"

그 아이가 길고 하얀 손가락을 들어 붕대 감긴 오른손을 가리켰다.

"살짝 긁힌 게 아니니까. 2주는 꼼짝없이 이러고 있어야 해."

바림이 소리치고는 파란 티셔츠의 긴 속눈썹을 보았다. 그 아래 까만 두 개의 눈동자는 깊이를 알 수 없는 물속 같았다. 왜 저 아이는 자꾸만 붕대 얘기를 할까? 별것도 아닌 그 물음이 가슴에 커다란 돌멩이를 던져 넣었다. 잔잔했던 마음에 파문이 일어나 알 수 없는 것들이 둥글게 둥글게 퍼져 나가기 시작했다.

'네 눈을 보면 나까지 기분이 이상해져. 붕대에 감긴 곳이 손이 아니라 내 몸 전체인 것 같거든. 너는 왜 그렇게 답답한 시선으로 나를 보는 거야?'

묻고 싶지만 정작 입에서 나온 질문이라고는, "넌 안 춥냐?"라는 한마디가 전부였다. 1월의 산속이었다. 산허리마다 녹지 않은 눈이 쌓여 있었다. 입을 열면 하얗게 입김이 새어 나왔다. 바람이 잠시 스쳐 지나도 오스스 몸이 떨려 왔다. 이런 추위에 아이가 입은 것이라고는 파란 티셔츠에 까만 바지가 고작이었다. 더욱이 맨발에 고무신이라니.

"아! 이 신발은 나도 마음에 안 들어. 그런데 어쩔 수 없잖아."

파란 티셔츠가 심드렁한 얼굴로 두 손바닥을 들어 보였다. 어쩔 수 없다니? 무슨 뜻인지 알 수 없지만, 바림은 그냥 흘려듣기로 했다. 한겨울에도 맨발에 삼선 슬리퍼를 고집하는 아이들이 있었다. 고무신이라고 별반 다르지 않을 것이다. 바림은 문득 슬리퍼를 고집했던 그날을 떠올렸다. 한파가 몰아쳤는데, 길이 얼어 모두 종종걸음 치는데. 대체 왜 낡아서 밑창이 닳아 버린 슬리퍼를 신고 나왔을까? 운동화로 갈아 신는 게 그토록 귀찮았을까?

"겉옷이라도 입지? 그러다 감기 걸린다."

"오! 나 걱정해 주는 거야? 오랜만이라 반가운데."

아이가 반가운 표정으로 두 눈을 반짝였다. 바림이 절레절레 고개를 내저었다. 뭐가 어찌 되었든 더는 신경 쓰고 싶지 않았다. 물론 상대는 조금 서운할지도 모르겠지만, 어릴 적 친구를 기억 못 한다 해서 지탄받을 일은 아니지 않는가. 아이의 환한 표정을 보면 그런 걱정조차 무가치했다. 어쩌면

이 모든 것이 저 기묘한 아이의 그럴싸한 연극인지도 몰랐다.

파란 티셔츠가 바림을 지나쳐 계곡물 가까이 걸어갔다.

"몇 년 전에 지독한 가뭄이 왔었어."

"……."

"여기 계곡물도 다 말라서 바닥을 드러냈는데."

아이의 시선이 굽이쳐 흐르는 계곡으로 거슬러 올라갔다. 바림이 곧은 어깨의 뒷모습을 유심히 바라보았다.

"언제 그랬냐는 듯 다시 물이 흐르네."

파란 티셔츠가 바림과 눈을 맞추고는 싱긋이 웃었다.

"신기하지?"

"……."

"물이 흐를 곳은 결국 다시 흐르게 되어 있어. 더 맑은 물이 더 많이 흐를 수도 있고."

바림이 계곡으로 눈을 돌렸다. 이 깊고 새파란 물이 모두 사라졌었다고? 전국이 가뭄으로 까맣게 말라 가던 때가 있었다. 2년 아니면 3년 전이었을까? 뉴스마다 최악의 가뭄이라고 목소리를 높였다. 그런데 거짓말처럼 모든 것이 되돌아왔다. 바닥을 드러냈던 강도, 농부의 발바닥처럼 갈라졌던 논도 찰랑찰랑 물이 차올랐다. 물이 흐르던 곳에 다시 물이 흘러넘쳤다.

"요즘도 그림 계속 그리지?"

아이가 툭 한마디 내뱉었다. 그 소리가 바림의 멍한 정신을 깨웠다. 아니, 깨우다 못해 산산이 부숴 버렸다.

'네…… 네가 그걸 어…… 어떻게 알았어?'

소리 없는 질문에 파란 티셔츠가 태연한 미소로 대답했다.

"너 그림 그리는 거 많이 좋아했잖아. 지금도 그리나 해서."

이모도 말하지 않았는가. 파란 지붕 아래에서 줄곧 그림을 그렸다고, 그 작품들을 할머니가 소중하게 모아 놓았다고. 저 아이의 기억력이 비정상적으로 좋다면 충분히 알 수 있는 이야기였다.

'바림이 그림 그린다면서?'

'진로 그쪽으로 잡은 거야?'

'공부하랴 실기 준비하랴 이래저래 바쁘겠네?'

지금까지 수없이 들어 온 말이었다. 바림이 붕대가 감긴 손으로 지그시 가슴을 눌렀다.

"아니, 안 좋아해. 나 그림 안 그려."

어린아이처럼 유치한 투정이었다. 그림을 안 그린다니? 그럼 앞으로 뭐 할 건데? 이제 와 네가 할 수 있는 일이 뭐가 있는데. 지금까지 들인 시간, 노력, 비용 다 어디서 어떻게 보상받을 건데. 그림 이외에 남은 것은 아무것도 없었다. 할 수 있는 것이 없었다. 문제는 그 그림마저 할 수 없는 것이 되어버렸다는 것이다. 아무리 좋아하는 음식도 매일 먹으면 물리는 법이다. 아무리 아름다운 풍광도 매일 보면 질리게 된다. 그런데 왜 그림은 그러면 안 되는데. 갑자기 싫어질 수 있잖아. 물릴 수도 있잖아. 이제 하얀 종이를 보는 것만으로도 신물이 날 것 같다. 차마 내뱉을 수 없었던 말들이 바늘처럼 목울대를 찔러 왔다. 바림이 꿀꺽 마른침을 삼켰다.

"그래? 뭐 그럴 수도 있지."

아이가 가볍게 어깨를 으쓱해 보이고는 검은 눈으로 바림을 바라보았다. 아무도 없는 겨울 산 계곡처럼 차갑고 투명한 눈빛이 어떤 열기로 반짝거렸다. 보면 볼수록 이상했다. 기억에도 없는데, 정작 상대는 바림에 대해 너무 많은 것을 알고 있었다. 무심코 던진 질문들이 뾰족하게 가슴을 건드리고, 그때마다 바림은 치부를 들킨 듯 부끄러웠다. 그럴 필요도 이유도 없는데 이 정체 모를 감정은 무엇일까? 하지만 파란 티셔츠는 더 이상 아무것도 묻지 않았다.

왜 안 좋아하게 됐느냐는 질문도, 어쩌다 그만두게 되었냐는 질문도 없었다. 앞으로 무엇을 할 것이냐는 궁금증마저 없었다. 하긴 정체 모를 이 파란 티셔츠가 그런 시시콜콜한 것까지 물을 이유가 없었지만, 그럴 수 있다는 한마디가 이상하게 바림을 안심시켰다.

"벌써 10년도 더 지난 일을 너는 참 잘도 기억한다. 미안한데 나는 너 전혀, 조금도 기억 안나거든? 이름도, 사는 곳도 말이야. 우리가 언제 어디서 어떻게 만났는지도 모르겠어."

늘 이런 식이었다. 마음과 달리 입에서는 자꾸만 삐딱한 말들만 쏟아져 나왔다. 상대에게 날린 비수 같은 말은 결국 부메랑처럼 다시 돌아오게 되어 있었다. 해미에게 던진 말이 불면의 밤이 되어 바림을 괴롭혔던 것처럼.

"한바림, 벌써라니? 고작 10년인데."

얼마나 유유자적하는 삶을 살아왔는지 모르겠지만, 10년을 고작이라 말할 수 있다니. 바림은 상대의 여유가 부럽다고 해야 할지 한심하다고 해야 할지 알 수 없었다.

"너 그거 알지? 인디언들이 기우제를 지내면 반드시 비가 온대."

이야기가 힘껏 던진 탱탱볼처럼 마구잡이로 튕겨 나갔다. 하지만 바림은 어쩐지 저 기묘한 아이와의 대화가 싫지 않았다. 조금 더 솔직하게 말하면 아이와 함께 있는 이 순간이 편안하게 느껴졌다. 계곡 물소리에 귀를 기울이듯, 나뭇가지에 쌓인 눈꽃을 보듯, 모든 상념이 사라지기 시작했다.

"왜?"

바림이 물었다.

"비가 올 때까지 지내니까."

"뭐야 그게. 완전 엉터리."

"뭐가 엉터리야. 어쨌든 비가 왔잖아."

파란 티셔츠가 싱긋이 웃으며 대답했다.

"그렇게 따지면 누가 기우제를 지내도 비는 오겠지. 어차피 비가 올 때까지 주구장창 기다리면 되잖아."

유치한 말장난도 아니고, 전혀 재미없는 유머였다. 바림이 첫 소리를 내뱉었다.

"아니야. 다른 사람들은 절대 못 해. 이 기우제는 인디언들만이 지낼 수 있어."

아이가 까만 두 눈을 초승달 모양으로 접으며 웃었다.

"인디언들에게는 일반 사람들에게 없는 세 가지 특징이 있어. 그 첫 번째가 바로 기우제를 지내면서 곧바로 비가 오지 않아도 실망하지 않는 거야."

허공에 새하얀 검지와 중지가 나타나 브이를 그렸다.

"둘째는 비가 내릴 때까지 기다릴 수 있는 여유를 가지는 것이고."

파란 티셔츠가 마지막으로 약지를 들어 보였다.

"셋째는 언젠가 반드시 비가 내릴 것이란 믿음을 잃지 않는다는 거지. 이 세 가지가 인디언들만이 가지고 있는 진짜 힘이야."

결국 이야기는 간단했다. 스스로의 노력에 실망하지 않으며, 당장에 결과가 나타나지 않아도 여유를 가지며 기다리고, 마지막으로 자신들의 힘을 굳게 믿는 의지가 인디언들이 기우제를 지낼 때마다 반드시 비가 내리는 진짜 이유라는 것이다.

"비가 올 때까지 기우제를 지내는 거, 그게 쉬울 것 같아?"

아이가 물었다. 바림이 대답 대신 붕대 감긴 오른손을 내려다보았다.

"그렇겠지. 열심히 지냈는데 비가 오지 않으면 쉽게 실망하겠지."

"오늘 안 내렸으면 내일을 기대하고, 내일 안 내리면 모레를 기대하고. 그건 말처럼 쉽지 않을 거야. 시간을 아주 길게 봐야 하거든."

"길게?"라고 묻는 눈빛으로 바림이 고개를 들었다.

"응, 이 파란 물길처럼 아주 길게."

아이가 가리킨 곳에 맑은 계곡물이 흐르고 있었다. 어디가 시작인지 끝인지 모를 그 길이 한없이 구불거리며 이어져 있었다.

벌써 10년이라 생각했다. 그런데 파란 티셔츠의 말처럼 고작 10년인지도 몰랐다. 이모도 말하지 않았나. 앞으로 20년이 지나도 바림의 나이는 고작 서른아홉이라고. 지금의 자신보다 젊다며 부러움 섞인 눈으로 조카를 보지 않았는가 말이다.

"있잖아. 내 친구 중에 지난 여름 방학부터 미대 입시를 준비하는 애가 있어. 그전에 미술 학원이라고는 초등학교 때 한 1년 다닌 게 전부거든. 어려서부터 같이 자라서 엄마들끼리도 잘 알아. 그 친구 엄마가 많이 걱정했어. 미대 입시를 준비하기엔 너무 늦은 거 아니냐고."

왜 이런 말을 저 아이에게 하는지 알 수 없었다. 최면에 걸린 듯, 어지러운 생각들을 물길에 흘려보내듯 바림은 다소 멍한 기분에 사로잡혔다.

"자식에 관한 일이라면 부모님은 늘 걱정부터 하니까."

파란 티셔츠가 짧은 한숨을 토해 내고는 바림에게 물었다.

"그런 너는 어때? 네 친구가 걱정돼?"

"나?"

바림이 왼손 검지로 자신의 가슴을 가리켰다. 파란 티셔츠가 고개를 주억거렸다.

"응. 그 친구가 너무 늦었을까 봐? 아니면."

햇볕이 들지 않는 물속처럼 검푸른 눈동자가 빛났다. 그 싸늘한 미소에 바람이 반걸음 주춤 뒤로 물러섰다.

"그 친구가 너무 잘할까 봐?"

"뭐?"

그 한마디가 보이지 않는 얼음송곳이 되어 날카롭게 가슴을 꿰뚫었다. 아이가 장난 가득한 얼굴로 히죽 웃었다.

"세상 모든 만물은 부딪히며 앞으로 나아가게 돼 있어. 이 나무들도 올곧게 보이지만, 그 뿌리는 이리저리 구불거리잖아. 암석하고도 부딪히고 다른 뿌리와도 뒤엉키고, 그러면서 물을 찾아 깊숙이 더 깊숙이 뻗어 내려가는 거잖아. 길을 따라가는 게 아니라 만들어 가는 거지."

"……."

"사람도 그렇지 않을까? 살다 보면 타인과 자꾸 부딪히게 돼 있어. 때로는 자기 자신과도 충돌하잖아. 아주 자연스러운 거야."

아이가 돌멩이를 집어 물에 던졌다. 퐁당 소리와 함께 수면 위로 잔물결이 일어났다.

"계절이 바뀌는 걸 변덕으로 보는 사람은 없어."

"……."

"따듯하다 추워질 수도 있고 서늘했다 따듯해질 수도 있듯이. 좋아하다가 싫어질 수도 있고 또다시 좋아할 수도 있고. 그런 거지 뭐. 사람이든 삶이든 그밖에 모든 것들이 말이야."

"지금 무슨 소리 하는 거야?"

바림이 물었다. 파란 티셔츠가 어깨를 으쓱해 보였다.

"가뭄도 들고 홍수도 나고 물길도 이랬다저랬다 하잖아. 인간도 다 그렇게 사는 게 아닐까."

아이가 찬찬히 바닥에 돌을 고르더니 까만 두 눈으로 계곡을 바라보았다. 잠시 후 계곡으로 던진 돌멩이가 통통통 물 위로 튀어 올랐다. 말로만 듣던 물수제비였다.

"우와."

바림의 입에서 저절로 탄성이 터져 나왔다. 신기한 듯 두 눈을 크게 뜬 바림을 보며 파란 티셔츠가 가볍게 어깨를 으쓱했다.

"저 돌멩이는 자신이 물 위를 날 줄은 전혀 몰랐을 거야."

"……."

"그것도 어느 날 갑자기."

인적이 사라진 깊은 산속에는 검은 계곡이 흐르고 있었다. 모든 것이 꿈인 듯 몽롱하고 어지러웠다. 어디선가 진한 풀 내음이 느껴졌다. 한겨울임에도 환영처럼 눈앞에 초록이 스쳐 지났다. 하늘에 구름이 흘러가고, 바람이 마른 가지를 뒤흔들고, 하얀 눈이 흩날렸다. 멀리 사람들의 발걸음 소리도 들려왔다. 그런데 이상하게 시간과 공간이 멈춘 느낌이었다. 누군가 흔들어 깨우면 한순간 이 모든 것이 꿈처럼 사라질 것 같았다.

"물속에 떨어져도 돌멩이는 여전히 돌멩이겠지?"

아이가 바림을 향해 희미한 미소를 내비쳤다.

"무슨 얘기를 하고 싶은 거야?"

대체 무슨 말을 하려는지 알 수 없었다. 그러나 그와 대화할수록 이상하게 가슴이 따끔거렸다. 나른한 오수에서 깨어난 듯 바림이 머리를 흔들었다.

"숨은 뜻은 없어. 그냥 그렇다는 거야. 그런 너는 아직도 내 이름 기억도 못 하면서?"

"다음에 만나면 알려 준다고 한 사람은 너야."

"그사이 기억해 낼 줄 알았어."

다소 풀죽은 목소리로 파란 티셔츠가 얼버무렸다. 그 모습을 보자 바림은 조금 미안한 생각이 들었다. 어떻게 하나도 기억나지 않을까? 상대는 이토록 많이 알고 있는데…….

아이가 고개 들어 멀리 시선을 던졌다. 바림의 두 눈도 하늘로 향했다. 조금 더 높은 곳에 오면 더 가까워질 줄 알았는데 하늘은 여전히 높고 먼 곳에 있었다.

"저녁에서 밤으로 넘어갈 때 하늘빛 알아?"

아이가 물었다. 바림의 시선이 새하얀 옆모습에 닿았다.

"미드나이트블루."

이름 자체가 그랬다. 늦은 밤의 하늘빛이라는 무거운 파란색. 하루를 마무리하고, 밤의 길을 안내하는 청색 융단을 닮은 색.

하늘을 보던 아이가 말끄러미 바림과 시선을 맞췄다.

"그럼 밤에서 새벽으로 가는 하늘빛은 뭐라고 해?"

"글쎄. 뭐라고 그러는데?"

바림이 물었다. 파란 티셔츠가 손가락으로 하늘을 가리켰다.

어두운 밤에서 새벽으로 가는 하늘도 밝지는 않을 것이다. 인디고? 머린 블루? 그보다는 더 진할까? 프러시안블루에 옵시디언, 약간의 페인스 그레이를 섞으면…….

바림의 머릿속으로 여러 색이 지나가는 동안 아이가 다시 말했다.

"검은빛이 도는 푸르스름한 청색. 네가 말한 미드나이트블루와 같아."

저녁에서 밤으로 향하는 하늘과 밤에서 새벽으로 바뀌는

하늘이 같은 색이다? 바림은 어렴풋이 그 말을 이해할 것 같았다. 늦은 밤 학원에서 바라본 하늘이 그랬다. 밤샘 공부를 하다 새벽에 마주한 하늘도 그 빛과 비슷했다. 회색과 검은색이 섞인 아주 진한 쪽빛.

"그런데 새벽을 여는 하늘은 훨씬 밝게 보여."

"왜? 과학적인 증거라도 있어?"

바림이 물었다. 아이가 도리질 쳤다.

"다들 시작의 눈으로 보니까. 하늘이 열리고 모든 것이 깨어난다고 생각하잖아. 그러니 당연히 저녁 빛보다 훨씬 밝게 느껴지겠지."

결국 시선의 차이란 뜻일까? 어쩌면 마음인지도 몰랐다. 세상은 똑같은데 그것을 바라보는 마음의 눈은 다 제각각일 테니까.

바림이 고개 돌려 흐르는 계곡에 시선을 두었다. 인간은 물처럼 쉽게 스며들거나, 형태를 자유롭게 바꿀 수도 없었다. 가볍게 증발하지도, 순환의 여행 끝에 다시 처음으로 되돌아갈 수도 없었다. 무겁고 딱딱한 뼈와 살과 근육으로 만들어진 존재이니까. 그런데도 인간이 자유로울 수 있는 건, 결국 생각 때문이었다. 물처럼 유연하고 하나의 형태로 단정 지을 수 없는 무한한 상상력. 똑같은 밤하늘이라도 누군가는 어둠을 보고, 또 다른 이는 별을 볼 테니까.

"새벽 푸름을 나타내는 '돈 블루(dawn blue)'라는 색이 있어야겠네."

바림이 혼잣말처럼 중얼거렸다.

"이왕 만들려면 하루를 시작한다는 뜻으로 조금 더 힘찬 푸른색이 낫지 않을까. 세상을 표현할 수 있는 더 다양한 색이 있는 게 좋잖아."

"어떤?"

아이가 잠시 생각에 잠기고는 입가에 엷은 미소를 그려 넣었다.

"새로운 하루를 도전한다는 의미에서 '챌린지 블루' 어때?"

그 한마디에 바림이 미간을 찌푸렸다. 도전이나 성취 같은 단어는 생각만으로도 숨이 막혔다. 해야 할 것들, 풀어야 할 문제, 이뤄야 할 꿈까지. 모든 것이 거인의 손처럼 두 어깨를 짓누르니까.

"갑자기 웬 푸른색 타령이야?"

바림이 쏘듯이 내뱉었다. 아이가 어깨를 으쓱해 보였다.

"그냥."

"너는 뭐가 만날 그냥이냐?"

"그런 너는 뭐가 만날 복잡해?"

"네가 그걸……."

"어릴 적보다 표정이 굳어 있잖아."

적어도 어릴 적에는 모든 것이 단순했다. 좋으면 시작했고, 지루하면 그만두었다. 그 과정에서 '왜'라는 질문은 따라붙지 않았다. 생각해 보면 '그냥'이라는 말처럼 명확한 표현도 없을 것이다. 누군가를 좋아하는 것도, 어떤 일에 마음이 기우는 것도, 그러다 이 모든 대상에 한순간 흥미를 잃는 것도 '그냥'이었던 적이 많았다.

하지만 바림은 더는 꼬마가 아니었다. 단순히 그냥이라 말할 수 있는 시기는 지났다. 문득 너무 멀리 왔단 생각이, 길을 찾지 못해 헤매고 있다는 느낌이 들었다.

"나도 모르겠어. 뭐가 이렇게 복잡한지."

바림이 유일하게 할 수 있는, 그리고 알 수 있는 대답은 이것뿐이었다. 파란 티셔츠가 돌멩이를 집어 가볍게 위로 던졌다 받기를 반복했다. 인디고나 프러시안 블루도 아니었다. 울트라 머린과 코발트도 아니었다. 그가 입고 있는 티셔츠는 가장 순수한 느낌의 파란색이었다.

"너 지난번에 돌탑에 소원 빌려고 했잖아."

"아니야?"라고 되묻는 눈빛으로 아이가 옅게 미소 지었다.

"아직 안 했으면 가기 전에 한번 빌어 봐. 그 꽁꽁 싸매고 있는 붕대 풀게 해 달라고."

"……."

"아니면 내 이름 기억나게 해 달라고 하던지."

그 말을 끝으로 돌멩이가 수면 위를 날았다. 한 번, 두 번, 세 번, 네 번, 다섯, 여섯 그리고 일곱. 물 위를 날던 돌이 이내 시야에서 사라져 버렸다.

샙 그린

색상 코드 #1b4524

주한에 다녀오겠다던 이모는 아직 오지 않았다. 치과 치료와 쇼핑을 한다 했으니 제법 시간이 걸릴 것이다. 바림이 유리창 너머 백오산으로 시선을 옮겼다.

한 시간은 60분, 하루는 24시간이 맞는데 이곳에서의 감각은 전혀 다르게 느껴졌다. 가끔은 시간이 멈춰 버리거나, 과거로 거슬러 올라가는 것 같았다. 조금만 집중하면 아이의 이름이 떠오를 것 같은데, 그 한 걸음이 좀처럼 가까워지지 않았다. 그 기묘한 아이가 뭐라고, 왜 자꾸 신경이 쓰이는 것일까?

파란 티셔츠와의 만남이 거듭될수록 바림은 알 수 없는 초조함을 느꼈다. 어떻게든 그를 기억해 내야 한다는 조급함이라고나 할까? 그러나 여전히 머릿속은 새하얀 백지였다. 단 하나의 기억도 떠오르지 않았다. 10년도 더 지났다면 그럴 수도 있지 않은가? 문득 괜한 생각으로 골몰하는 자신이 우스웠다. 바림의 입가에 자조 섞인 미소가 지나갔다.

어쩌면 이 모든 것들이 현실을 잊기 위한 회피인지도 몰랐다. 평소에는 관심도 없던 방 청소를 하거나, 책장의 책들을 정리하거나, 흥미도 없는 시사 프로그램에 열중하는 건 모두 시험 때만 가능한 일이었다. 책상 앞에 앉지 못하는, 아니 앉을 수 없는 핑계를 만들어야 하니까.

낯선 이에게 집중하는 건 복잡한 현실을 덮기 위한 장막에 불과했다. 그러니 기억에도 사라진, 어쩌면 처음부터 존재하지 않았던 이의 이름 따위는 전혀 신경 쓸 필요 없지 않을까.

"됐다. 쓸데없는 생각 말고 밥이나 먹자."

잠깐의 산책이라 생각했는데 시간은 어느덧 점심때를 넘어 버렸다. 습관처럼 컵라면을 먹을까 하다가 냉동실에서 피자를 꺼내 들었다. 짜장라면, 스파게티, 매운 라면, 짬뽕라면에 라볶기까지. 편의점에 진열된 라면이란 라면은 죄다 먹어 봤다. 어디 먹기만 했을까. 그리기는 또 얼마나 그렸는가. 사물을 보면 동전을 넣은 자판기처럼 자연스레 구도와 연출이 튀어나왔다.

매일 아침 세수를 하고 밥을 먹고 등교를 하듯, 학원에서는 팔레트에 물감을 짜고 색을 섞어 채색을 시작했다. 생각보다 손이 먼저 반응했고 정신없이 붓을 놀리다 보면 어느새 그림 하나가 뚝딱 완성되어 있었다. 그 과정에서 무수한 색들이 섞여 들었다. 어쩌면 삶도 마찬가지가 아닐까. 단순히 한 가지 색으로는 삶 전체를 표현하기 힘들 테니까. 그림 하나 완성하는 것도 뜻대로 되지 않는데, 하물며 세상을 살아가는 건 오죽할까 싶었다.

"완전 종이 울어요."

"채색 망쳤어."

"지우개로 지우다가 스케치 찢어졌어요."

이 정도 문제라면 그나마 양호한 것이다. 애써 힘들게 완성했는데, 물을 엎지르거나 붓이 굴러가거나 엉뚱한 곳에 흰색 물감이 튀는 일도 잦았다. 그럴 때마다 선생님들은 한마디 툭 가볍게 내던졌다.

"다시 그리면 되지."

그래, 별다른 방법은 없었다. 처음부터 다시 시작할 수밖에. 남들 다 완성하고 집에 갈 때 혼자 학원에 남아 꾸역꾸역 마무리를 짓는 것 말고는 뾰족한 방법이 없었다.

만약 인간의 삶이 한 장의 그림이라면, 바림은 문득 자신이 어떤 빛깔로 채색되고 있는지 궁금했다. 그리고 삶이 어디쯤 왔는지도 생각해 보았다. 앞으로 어떤 색을 더 섞을 수 있을지, 그로 인해 삶의 명도가 높아질지, 낮아질지 알 수 없었다. 아직 스무 살도 되지 않았는데, 그렇다면 인생이란 하얀 종이에 밑그림조차 완성하지 못한 것이 아닐까? 어쩌면 무엇을 어떻게 표현해야 할지 구상조차 끝내지 못했는지도…….

'시간을 길게 봐야 하거든. 이 새파란 물길처럼 아주 길게.'

물방울을 닮은 아이의 음성이 귓가에 메아리쳤다.

"엄마가 과연 비가 올 때까지 기우제를 지내는 인디언의 마음을 알 수 있을까?"

바림이 한숨과 함께 피자를 전자레인지에 넣었다. 그런데 냉장고에 응당 들어 있어야 할 콜라가 보이지 않았다. 아! 이모는 탄산음료를 싫어했지.

'야, 인생도 툭하면 따갑게 쏘아 댄다. 몸에도 안 좋은데 뭐하러 일부러 따갑게 쏘는 걸 찾아 마시냐?'

이것이 이모가 탄산을 꺼리는 이유였다. 생각해 보니 일리가 있었다. 세상 자체가 성질 고약한 고슴도치처럼 찌르는데, 굳이 탄산음료까지 찾아 마실 필요는 없겠지. 그러나 다른 것도 아닌 피자를 먹는데 콜라를 안 마시다니. 김치 없이 라면을 먹고 단무지 없이 짜장면을 먹으라는 것과 같지 않을까.

"콜라 사 와야겠다."

그 순간 현관에서 벨이 울렸다. 그 소리에 놀란 바림이 '꺄!' 비명을 내질렀다. 이모가 벌써 돌아올 리 없었다. 그렇다고 해도 도어락 비밀번호를 눌렀을 테지. 그럼 이 시간에 누구일까? 긴장한 바림이 꿀꺽 마른침을 삼켰다.

"강 작가님? 차가 없는 거 보니까 외출하셨나? 여울 씨? 여울 선생님? 안에 계세요?"

바림이 조심스레 인터폰을 집어 들고는 작은 화면을 바라보았다. 문밖에서 서성이는 여자는 낯선 얼굴이었다. 하긴 이 동네에서 이모 이외에 낯익은 사람도 없을 터였다. 딱 한 명, 백오산에서 만난 파란 티셔츠를 빼고는 말이다. 손님은 이모보다 제법 연배가 있어 보였다. 이모를 강 작가라 부르고 차가 없는 것까지 알고 있다는 건 분명 가까운 사이란 뜻이다.

"누구세요?"

바림이 물었다. 이번에는 화면 속 여자가 놀라 소리쳤다.

"깜짝이야. 누구세요? 여울 씨 안 계세요?"

밖에 있는 사람이 누구냐 묻는다면, 안에 있는 사람은 과연 뭐라 대답해야 할까?

"혹시 작가님 치과 갔어요? 며칠 전에 치과 간다고 했는데."

치과 이야기까지 나왔다면 모든 게임은 끝난 것이다. 이모의 지인이 틀림없었다. 바림이 인터폰을 내려놓고는 빠끔히 현관문을 열었다.

"누구?"

이 대사를 먼저 한 건 정작 문밖의 여자였다. 뭔가 주객이 전도된 것 같지만, 딱히 자신이 주인이라고 생각하지 않는 바림이 조심히 입을 열었다.

"이모 주한 가셨어요. 치과 치료 때문에."

"이모? 그럼 조카시구나."

여자가 잔뜩 경계했던 눈빛을 풀고는 반말과 존댓말을 적당히 섞어 가며 이야기를 시작했다.

"그 녀석이 어제 또 책을 빌려 왔네요. 지난번에도 작가님한테 책 빌려 와서는 주스를 쏟아 버렸잖아요. 세상에 그게 돈 주고도 살 수 없는 책이라고 했나? 절판인가 뭔가 됐다고. 도서관에서 빌려 보든지 차라리 사서 보라고 해도, 작가님만 가지고 있는 희귀본인가 뭔가가 있다면서……."

여자가 절레절레 고개까지 내저으며 한숨을 내쉬었다. 그 순간 바림은 문득 호탕하게 웃던 이모가 떠올랐다.

'괜찮아요. 일부러 그런 것도 아닌데.'

아, 그 전화의 주인공이 따로 있었구나.

"그럼 이거라도 갖다 드리라고 했더니, 귀찮다면서 그새 내뺐지 뭐예요? 제가 읽을 책 빌리러 오는 건 안 귀찮고, 부침개 갖다드리라는 건 왜 귀찮아하는지 원. 김치가 아삭하니 맛있게 익어서 부침개 몇 장 부쳤는데 한번 드셔 보시라고."

여자가 접시를 건네고는 찬찬히 바림의 얼굴을 살폈다.

"이모라면, 여울 씨 조카? 아, 작가님 언니 딸이구나. 세상에 몰라보게 컸네. 그럼 올해……."

언니라면 혹시 엄마를 말하는 것일까?

"열여덟, 아니 열아홉이요."

해가 바뀌었으니 열아홉이었다. 집안의 최고 권력자 등극과 동시에 책걸상의 노예가 되어 버리는 대한민국 고 3이 된다는 말씀이다. 바림의 한마디에 여자가 '짝' 두 손을 맞부딪혔다.

"우리 막둥이랑 같네. 아, 생각난다. 전에 할머니 계실 때 가끔 저녁에 놀러 나왔던 꼬마. 그때 막둥이랑 곧잘 어울렸는데. 방학 끝나서 서울 올라가면 한동안 우리 막둥이가 많이 심심해했었지."

그 순간, 바림은 뜨거운 것이 접시를 든 손바닥인지 머릿속인지 헷갈리기 시작했다.

'귀한 손님이 와서 너 소개해 주려고 했지?'

'예술가들의 만남이라고나 할까? 문학과 그림. 뭔가 통하는 게 있을 것 같아서.'

그렇다면 어제 이모가 소개해 준다는 그 사람이 바로…….

"혹시 이번에 상 받은 동화 작가?"

말이 끝나기 무섭게 여자의 입에서 기분 좋은 웃음소리가 터져 나왔다.

"어머, 여울 씨가 그새 얘기를 했나 보네. 소가 뒷걸음치다 쥐 잡은 거예요. 다 우리 강 작가님 덕분이지. 책 빌려 줘, 글 써 오면 꼼꼼하게 봐 줘. 안 그러면 언감생심 꿈도 못 꿀 일이었지."

여자는 휘휘 손을 내저었지만, 함박 미소 속에는 숨길 수 없는 기쁨이 들어 있었다.

"참 시간 빨라. 그때 할머니 손잡고 깡충깡충 뛰어왔었는데 어느새 이렇게 컸어. 하긴 우리 막둥이도 언제 키우나 싶었는데 벌써 스무 살이 코앞이고. 아무튼 조카라도 있으니 잘됐네. 나는 또 차가 없어서 헛걸음했나 싶었거든. 식기 전에 먹어요. 조카님 계신 줄 알았으면 좀 더 넉넉하게 부쳐 올 것을. 그럼 이모한테 나 왔다 갔다고 전해 줘요?"

여자가 살랑살랑 손을 흔들고는 횡하니 몸을 돌려세웠다. 철컥 소리와 함께 문이 닫히고 바림이 반쯤 넋이 빠진 얼굴로 접시를 내려다보았다. 뭔가 엄청난 이야기를 들은 것 같은데 좀처럼 머릿속이 깔끔하게 정리되지 않았다. 이럴 줄 알았다면 잠시 들어오시란 말이라도 해 볼 것을 싶었지만, 이미 늦어 버렸다.

"퍽퍽한 냉동 피자보다는 따끈따끈한 부침개가 낫겠지?"

덕분에 콜라는 필요 없게 되었다. 그러나 마음 편히 부침개를 먹기도 힘들 것 같았다. 여자가 말한 막둥이와 동화 작가 그리고 파란 옷의 아이가 누구인지 정리해야 하니까.

"아! 깜빡했다. 이름."

접시를 내려놓으며 바림이 소리쳤다. 더불어 그 파란색 티셔츠와 고무신은 누가 사 줬는지도 묻고 싶었다. 화려한 꽃무늬 접시를 보니, 새파란 티셔츠의 출처가 꽤 짐작 가능했지만…….

"이 마을에는 작가님이 참 많네."

바림이 부침개를 길게 찢어 오물거렸다. 아삭거리는 김치의 식감은 실로 예술적인 맛이란 생각이 들 정도로 일품이었다.

결국 부침개는 혼자서 다 먹어 버렸다. 그 이유가 단순한 허기 때문인지, 꼬리에 꼬리를 문 생각 때문인지 알 수 없었다. 파란 옷의 아이는 이모가 말한 동화 작가임이 틀림없었다. 어릴 적 함께 어울렸다는 사실 또한 어머니를 통해 증명되었으니까. 책을 빌렸다는 건, 이모를 만났었다는 뜻이었다. 두 사람은 자연스레 바림에 대해 이야기를 나눴겠지. 동화 작가가 파란 티셔츠란 결정적인 증거는 또 있었다. 아이가 이모에게 찾아온 날에는 다시 찾아간 산에서 만나지 못했다. 바림의 입에서 피식 싱거운 웃음이 터져 나왔다. 여기저기 흩어져 있던 퍼즐 조각이 하나둘씩 제자리를 찾아 가고 있었다.

"그런데 처음 만난 날은 나를 어떻게 알았지?"

머릿속에 봉긋이 떠오른 물음표는 이내 느낌표로 바뀌었다. 여자도 말하지 않았는가. 이모와 그가 각별한 사이라고. 아마 바림이 도착하기 훨씬 전부터 두 사람 사이에 이야기가 오갔겠지. 강 작가님의 하나밖에 없는 조카가 그림을 그린다는 정보도 분명 그때 알았을 것이다. 계곡물에 물수제비를 뜨던 아이는 언제나처럼 먼저 등을 보였다. 나중에 또 보자며 돌아서는 그에게 바림이 물었다.

'어디서?'

아차 싶었지만 이미 늦어 버렸다. 다시 만나고 싶다고 오해하는 건 아닐까? 솔직히 고백하자면 괜한 거짓말은 아니었다.

'어디서든.'

그것이 파란 티셔츠의 마지막 말이었다. 처음에는 그 대답의 의미를 이해하지 못했다. 그러나 이제는 알 것 같았다. 정말 어디서든 볼 수 있게 되었으니까. 이 손바닥만 한 동네라면 불가능한 일도 아니겠지.

"뭐냐? 자기는 우리 이모 찬스 다 써 놓고선 기억하는 척하기는."

이제 슬슬 이모가 도착할 시간이었다. 바림이 두 손을 하늘로 뻗어 길게 기지개를 켰다.

"너무 많이 먹었나 봐."

진한 커피 한잔이 간절했다. 선반에서 머그잔을 내리던 왼손이 주춤 멈췄다. 문득 이 마을에서만 통용되는 화폐라는 걸 써 보고 싶었다. 독특한 메뉴판도 구경하고, 달콤한 커피도 맛보고 싶었다. 바림이 의자에 걸쳐 놓은 패딩을 입고는 서둘러 밖으로 나왔다.

대문을 벗어나자 눈앞에 텅 빈 들판이 모습을 드러냈다. 이모가 말한 카페의 위치는 쉽게 찾을 수 있을 것이다. 마을길은 단순하니까. 그리 멀지 않겠지.

벼 이삭이 사라진 논에 까치들이 종종거렸다. 이모의 SNS 사진 속에는 노란 들판이 넘실거렸는데, 고작 3개월 만에 거짓말처럼 황금물결이 사라져 버렸다. 이 황량한 들판도 머지않아 초록으로 물들 테지. 어린 벼 이삭은 뜨거운 여름을 견디며 노랗게 변할 것이다.

바람이 싸늘했지만, 햇살은 부드럽고 포근했다. 계절은 늘 인간보다 반 발자국 앞서 걸었다. 봄이구나 생각하면 목덜미에 땀이 맺혔고, 언제 여름이 끝날까 싶으면 아침저녁으로 찬 바람이 불었다. 바림은 인간의 삶에도 친절한 길잡이가 있기를 소망했다. 머지않아 꽃이 피고 잎이 무성해질 것이다. 그렇지만 마냥 좋지만은 않을 것이다. 끔찍한 더위가 찾아들 테니까. 얼마 뒤면 나뭇잎이 떨어지며 가지마다 헐벗을 것이다. 비로소 긴 휴식에 들어갈 테니 너무 서운해하지 마라. 얼었던 땅이 포근해지면 그때 다시 너를 흔들어 깨울 테니까. 그때까지 아무 걱정 말고 고요한 마음으로 편히 쉬어라. 자연이 나무에게 속삭이듯, 가만가만 대지를 달래듯, 인간에게도 앞으로 다가올 미래를 알려 주면 얼마나 좋을까? 하지만 인간에게는 누구도 명확한 길을 안내해 주지 않았다. 지금 당장 어디로 가야 하는지, 어느 쪽으로 방향을 잡아야 하는지 전혀 갈피를 잡을 수 없었다. 바림은 할 수만 있다면 지나가는 바람에게라도 묻고 싶었다.

'나는 어떤 길로 가야 해?'

서늘한 북풍이 주위를 맴돌다 홀쩍 날아 나무 우듬지로 되돌아갔다.

얼마쯤 걸었을까. 멀리 통유리로 된 카페가 보였다. '카페, 올제'라 쓰인 동글동글한 한글 간판이 정감 있게 보였다. 커다랗게 그려 넣은 쉼표가 유독 눈에 띄었다. 밖에 세워 둔 간판에는 멀리서도 또렷하게 보일 정도로 차림표가 큼지막하게 쓰여 있었다.

"오늘은 커피 진하게 더 진하게를 마셔 보……."

중얼거리던 바림이 그 자리에 우뚝 멈춰 섰다. 유리 벽 너머로 낯익은 얼굴이 보였다. 이곳의 단골이라 했으니, 이모가 카페에 있다는 사실은 전혀 이상하지 않았다. 그런데 마주 앉은 사람은 처음 보는 얼굴의…… 남자였다. 바림의 시선이 카페 주차장에 세워진 자동차에 닿았다. 이모의 하얀색 경차가 말 잘 듣는 강아지처럼 얌전히 웅크리고 있었다.

애인? 아니면 단순한 남자 사람 친구? 물론 이모라고 이성을 만나지 말라는 법은 없지만……. 그런데도 이모가 남자와 마주 앉아 있는 모습은 판타지 영화의 한 장면처럼 비현실적으로 느껴졌다. 바림은 그 자리에 서서 유리 벽 너머의 카페를 넋 놓고 바라보았다.

대도시 한복판에 있는 카페가 아니었다. 2차선 좁은 길에 옹기종기 모여 있는 키 작은 상점 중 하나였다. 더욱이 사람들의 왕래까지 뜸한 겨울이었다. 어떤 사람이 멍하니 길가에 혼자 서 있다면 누구라도 시선이 가기 마련이었다. 이모가 흠칫 놀라며 유리 벽 너머로 고개를 돌렸다. 어쩌면 남자가 먼저 발견했는지도 몰랐다.

이모의 눈빛에 숨길 수 없는 당혹감이 지나갔다. 그러나 이내 활짝 웃으며 바림을 향해 손을 흔들었다. 바림도 이보다 더 어색할 수 없단 표정으로 간신히 손가락을 까딱거렸다.

이모가 가뿐히 자리를 털고 일어서자 동시에 남자도 껑충한 몸을 일으켰다.

"들어오지. 커피 마시러 온 거 아니야? 뭐 마실래?"

"아니야. 그냥 소화 시킬 겸 좀 걸었어."

이모의 등 뒤에서 "안녕하세요."라고 인사하는 목소리가 들려왔다. 이모와 비슷한 연배의 남자였다. 웃을 때 두 눈이 사라지는 천진한 얼굴에는 어딘가 개구쟁이 같은 이미지가 엿보였다.

"인사해. 우리 언니 딸. 나에게는 하나밖에 없는 끔찍한 조카님이지."

이모의 한마디에 남자의 암갈색 눈동자가 크게 부풀어 올랐다.

"너울이 누나 딸? 어쩐지 눈매가 똑 닮았다 했다. 누나 옛날 모습 그대론데."

이번에 눈동자가 커진 건 바림이 쪽이었다. 이 사람이 대체 어떻게 엄마를 알고 있을까? 얼마나 친하기에 태연히 누나라 부를까. 아니? 이 동네는 왜, 죄다 나만 모르는 사람들과 이야기투성일까? 바림은 또다시 수수께끼 늪으로 가라앉기 시작했다.

"반가워요. 난 우금이에요. 옛날에 너울이 누나가 끓여 준 라면 많이 먹었는데."

남자가 말했다.

"내 친구. 성이 우고 이름이 금이야. 외자."

이모가 빠르게 덧붙였다.

"한바림입니다."

바림이 꾸벅 고개를 숙였다.

"괜히 여기까지 데려왔나 봐. 돌아갈 때 번거롭겠어."

"아니야. 덕분에 커피 잘 마셨어."

남자가 천진한 미소를 내비쳤다. 편안하고 따듯하며 살짝 열기가 묻어 있는 웃음이었다.

"쿠키 고마워."

"맛 괜찮으면 또 말해. 주문하면 택배로도 보내니까. 아니면 내가 직접 배달해도 되고."

남자의 시선이 이모와 나란히 서 있는 바림에게로 향했다.

"그럼 다음에 또 봐요."

이곳의 모든 사람이 약속이라도 한 듯 똑같이 말했다. 다음에 또 보자는 인사 속에는 이번 만남이 끝이 아니라는 뉘앙스가 들어 있었다. 우금이라는 남자가 손을 들어 보이고는 뒤돌아 길을 걸어갔다. 아마 주한으로 가는 버스를 탈 모양이었다. 이모가 우리도 가자며 팔을 잡아끌지 않았다면, 바림은 남자가 완전히 사라질 때까지 멍하니 서 있었을 것이다.

"정말 괜찮아? 커피 한잔 사 줄까?"

바림이 대답 대신 벌컥 차 문을 열었다.

"아니, 괜찮아."

거짓이 아니었다. 커피를 마시고 싶은 생각이 싹 사라져 버렸다. 대신 다른 생각이 머릿속을 가득 메웠으니까.

"누구야?"

"말했잖아. 친구라고."

"엄마도 아는 사람이야?"

"어릴 적에 한동네에 살았어. 초등학교랑 중학교까지 같이 나오고, 고등학교 때 주한으로 이사 갔어. 언니랑 나는 경진에서 새벽차 타고 통학했고."

엄마와 이모의 나이는 세 살 터울이다. 먼저 고등학교를 졸업한 엄마가 서울로 왔고 이모가 그 뒤를 따랐다.

"그럼 저 아저씨도……."

"아저씨? 벌써 사십 대니 아재 맞네."

"지금 주한에 사는 거야?"

"주한으로 다시 내려왔대."

"다시?"

"그래. 금이 아는 사람이 주한에 수제 쿠키 전문점을 냈는데, 괜찮은가 봐. 빨리 가서 먹어 보자."

이모가 원하는 것이 수제 쿠키인지 아니면 서둘러 집에 가는 것인지는 알 수 없었다. 하지만 한 가지만은 확실했다. 더 이상의 질문은 사절이니 이쯤 해서 그만두라는 뜻이었다. 묻지 않아도 고요한 외침이 들렸으니까. 자동차가 좁은 2차선 도로를 날듯이 달렸다. 텅 빈 논들과 하얀 마시멜로가 창밖으로 빠르게 스쳐 지났다.

차에서 내린 두 사람이 나란히 거실로 들어섰다. 주방 선반의 알록달록한 접시를 보며 이모가 물었다.

"누가 왔다 갔어? 못 보던 접신데?"

그 순간 전등에 불이 들어오듯 바림의 머릿속에 '팟' 하고 질문들이 깜빡거렸다.

"어. 이모 책 빌려 간 사람, 막둥이라고 그랬나? 아무튼 엄마가 찾아오셨어. 이모를 강 작가라고 불렀다가 여울 씨라고 불렀다가. 김치부침개 해 오셨는데 내가 점심으로 다 먹어 버렸어."

"아, 현정 언니 왔다 갔구나? 잘했어. 부침개는 따듯할 때 먹어야 해."

시내에 다녀왔지만 짐은 생각보다 적었다. 엄마가 이미 냉장고며 주방 선반을 꽉꽉 채워 놨으니까. 이모가 접시에 쿠키를 담아 식탁 위에 내려놓았다.

"그 현정 언니라는 분 막둥이가 나랑 같은 나이야? 그런데 이번에 동화로 상 받았어?"

물어보고 싶은 게 차고 넘쳤지만, 바림은 우선 그 파란 티셔츠의 정체부터 해결하고 싶었다.

"어떻게 알았어?"

이모가 쿠키를 한 입 베어 물자 바삭 소리와 함께 주방 가득 땅콩 향이 퍼져 나갔다.

"2년 전인가 모교에서 강연했다고 했잖아. 뭐, 이제는 공학으로 바뀌었지만. 나는 다 주한 애들인 줄 알았어. 설마 경진에서부터 통학하는 애가 아직도 있을까 싶었거든. 그런데 서너 명 있더라고. 방학 때면 가끔 도강한다며 글쓰기 모임에 나오던 친구야."

그러니까 그 서너 명 중 한 명이 파란 티셔츠였다는 뜻.

"열여덟에 동화 작가, 대단한데?"

기분이 이상했다. 학생 문예 대전이나 백일장, 독후감 대회도 아니었다. 십 대라고 도전 자체가 불가능한 것은 아니지만, 결과만 보자면 대단한 출발이었다. 어쩐지 다른 세계 사람 같더라니. 예술가 기질이 그토록 뛰어나 외모부터가 남달랐을까?

"감각이 남다른 것 같아. 수상자 중에 최연소일 거야."

이모가 말했다. 바림이 고개를 끄덕였다.

"되게 큰 대회잖아. 그럼 문창과 실기에 가산점 받나? 어쨌든 정식 등단은 한 거네. 좋겠다. 대학도 가기 전에 작가의 꿈을 이루다니."

"걔 이과야. 컴공 쪽에 관심 있다고 했어. 대학도 그쪽으로 갈걸? 꿈이 프로그램 개발이라고 했나? 지난번에 설명해 줬는데 그런 쪽은 문외한이라서 들어도 모르겠더라."

"그럼 글쓰기는……."

글쎄, 취미려나? 그렇게 말하며 이모가 수제 쿠키를 먹었다. 그 한마디가 날카롭게 바림의 관자놀이를 찔러 댔다. 아, 꿈이 작가가 아니었구나. 그저 취미 생활을 즐겼을 뿐이구나. 그런데 덜컥 큰 공모전에서 상을 타고 정식 작가로 데뷔까지 했구나.

"우와! 대단한 재능이네. 이과와 문과를 자유롭게 넘나들고, 글쓰기에 프로그램까지. 세상 참 더럽게 불공평하다."

바림이 말을 멈추고 아랫입술을 깨물었다.

'좋아하다가 싫어질 수도 있고, 또다시 좋아할 수도 있고. 그런 거지 뭐.'

'오늘 안 내렸다면 내일을 기대하고, 내일 안 내리면 모레를 기대하고. 그게 말처럼 쉽지 않을 거야. 시간을 아주 길게 봐야 하거든.'

아이의 태연한 목소리가 웅웅 귓가를 울렸다. 비가 내릴 때까지 믿고 기다린다고? 아니, 그럴 필요조차 없겠지, 이미 비를 내리게 할 능력이 충분하니까. 제 갈 길을 훤히 꿰뚫고 있을 테니까. 인정하기 싫지만, 세상에는 분명 축복받은 이들이 존재했다. 타고날 때부터 신에게 사랑받은 행운아들 말이다. 관심이 있는 분야에 과감히 도전할 수 있고, 아니라 생각했을 때 미련 없이 툭툭 손을 털 수 있는 결단력이 있으며, 누가 뭐라 하든 자신만의 길을 만들어 가는 사람들. 이들에게만 느낄 수 있는 삶의 여유와 자신감이 바림은 부러웠다. 가족의 눈치와 주위의 평판과 그동안 쌓아 왔던 모든 것이 온몸을 칭칭 동여매서 옴짝달싹도 못 하는 자신과 비교하면, 해미는, 그리고 산에서 만난 그 아이는 분명 다른 존재였다.

"이 녀석이 어디서 더럽다는 표현을 써?"

"김치부침개 너무 많이 먹었나 봐. 쿠키는 나중에 먹을게. 엄마 말처럼 인강이나 열심히 들어서 내신이라도 탄탄하게 다져 놔야지. 손 다쳤다고 놀기만 하면 인대가 아니라 인생이 망가질 수가 있거든."

"누가 강너울 딸 아니랄까 봐 참 살벌하게 말하네."

이모는 진짜 살벌한 것이 뭔지 모를 것이다. 지금이라도 당장 전화를 걸어 엄마에게 그림을 그만두겠다 하면, 그땐 진짜 살벌함이 뭔지 이모도 피부로 느낄 수 있을 텐데. 바림이 한쪽 입꼬리를 말아 올리며 자리에서 일어났다. 뒤돌아 방으로 가려는데 문득 한 가지 궁금증이 일어났다. 조금 전까지만 해도 제법 중요했고 꼭 알아내고 싶었던 질문이었다.

"이모 있잖아. 그 애 이름이 뭐야?"

그러나 기억에서 잊힌 이름 따위 더는 신경 쓰고 싶지 않았다. 이왕 이렇게 된 것 한 번 들어나 보자 싶을 뿐이다.

"이레."

"이레?"

이모가 손으로 입술에 묻은 부스러기를 살살 털어냈다.

"이레 할머니가 사주를 봤는데 이름에 꼭 숫자 칠이 들어가야 대성한다고 했대. 그래서 이레로 지었대. 어르신 중에 그런 것에 민감한 분 많잖아. 어디 가서는 뭘 조심해라. 복이 들어오려면 어떤 색깔의 옷을 입고, 화를 막으려면 뭘 해라."

환영처럼 파란 옷이 스쳐 지났다. 이레라는 아이에게 파란색은 행운의 상징일까? 그렇다면 혹시 고무신도 어떤 주술적 의미?

"그런데 이모, 그 애……."

"……."

"남자야, 여자야?"

이모가 자리에서 일어나 남은 쿠키를 상자에 담았다. 바림이 붕대 감긴 오른손을 살짝 움직여 보았다. 통증은 오래전에 사라졌다. 그런데 다시 욱신거리기 시작했다. 인대가 늘어난 손이 아닌 다른 어떤 곳이…….

"이레 말이야? 당연히 남자지."

다시 돌아가면 붕대를 풀 수 있을까? 바림이 고개를 돌리자 시리도록 파란 하늘이 텅 빈 들판을 굽어보고 있었다.

압생트

색상 코드 #00833f

그나마 이곳에서는 그럭저럭 잠을 잘 수 있었다. 언젠가부터, 몸과 마음은 지쳤는데 밤이면 쉬이 잠이 오지 않았다. 불면이 힘든 건 이런저런 생각이 반복되기 때문이다. 행복하고 즐거운 상상이라면 견디기 수월하겠지만, 괴로운 밤에 '피터팬'이 찾아올 리 없었다. 어느 쪽이냐 묻는다면 '크리스마스 악몽'에 가까웠다.

시간은 이미 오전 11시를 넘어섰다. 문밖에서 살금살금 까치발 소리가 들려왔다. 안 그런 척해도 조카의 단잠을 깨울까 조심하는 이모의 배려가 느껴졌다. 바림은 어젯밤 저녁을 먹지 않았다. 입맛도 없거니와, 이모랑 마주 앉는 것도 어쩐지 불편했다. 힘없이 방으로 들어가려는데 이모가 말했다.

"배고프면 뭐라도 꺼내 먹어. 신경 쓰지 말고."

자신이 깰까 마음 쓰지 말라는 뜻이었다. 고민이 있다면 너무 복잡하게 생각지 말라는 의미도 있었다. 이모다운 조언이었다. 꼬치꼬치 캐묻거나 닦달하지 않았다. 만약 엄마였다면 사정이 달라졌겠지? 자매가 전혀 다른 성격이라 얼마나 다행인지 모를 일이다. 만에 하나 이모도 엄마처럼 완벽한 계획주의자에 꼬장꼬장한 성격이었다면, 바림은 애초에 경진에 내려올 생각조차 안 했을 것이다.

핸드폰 화면을 열어 포털 사이트에 접속했다. 인터넷에는 죄다 우울하고 답답한 소식뿐이었다.

"차라리 지구가 망해 버려라."

혹시나 하는 마음에 학원 홈페이지에 접속해 보았다. S대 미술 실기 대회 은상 수상. 배너 광고가 화면을 가득 메웠다. 명예의 전당에는 전년도 미대 합격자 명단이 빼곡했다. 잠시 망설이던 바림은 결국 해미의 SNS에 접속했다. 그사이 해미의 그림은 눈에 띄게 달라져 있었다. 개체 묘사 중 음료수 캔을 그렸는데 그러데이션 효과가 제법 자연스러웠다. 그러데이션을 표현할 때는 무엇보다 물 조절이 관건이었다. 그래야만 붓질의 경계면을 필압을 낮춰 자연스럽게 그릴 수 있으니까. 하지만 붓 자국이 남지 않게 채색하는 일은 생각처럼 쉽지 않았다. 특히 초보자들에게는 더더욱. 물론 어디에서나 예외는 존재했다. 입시 미술을 시작한 지 고작 6개월 만에 이렇게 발전하다니. 바림이 이불 위에 핸드폰을 툭 던져 놓고는 몸을 일으켰다. 삐거덕 방문을 열자 거실 가득 고소하고 따듯한 냄새가 풍겨 왔다.

"잘 잤어? 어제 저녁도 건너뛰었잖아. 빈속인데 가볍게 수프부터 먹자."

이모의 말과 동시에 작은방에서 전화벨이 울렸다. 익숙한 음악, 엄마임이 틀림없었다. 바림이 침대로 돌아와 핸드폰 화면을 그었다.

"벌써 점심시간이야?"

바림이 물었다.

"오늘은 그냥 사무실에서 도시락 먹기로 했어. 곧 배달 올 거야."

엄마가 대답했다.

"너 지난번에 얘기한 거 말이야. 초등학교 1학년 여름 방학 일기장. 그거 찾았어."

"아! 그거?"

"뭐야, 엊그제는 세상 중요한 것처럼 말하더니. 꼭 찾아보라며?"

엊그제만 해도 중요했었다. 파란 티셔츠가 누구인지 알고 싶었으니까. 혹시 일기장 속에 작은 증거라도 나오지 않을까? 이름이나 성별, 사는 곳이나 함께 놀았던 추억 같은 것. 방학 숙제 이상도 이하도 아닌 일기장이었다. 참 재미있었다, 참 즐거웠다, 참 맛있었다, 이외에도 매일의 소소한 일상이 기록되었으리라 믿었다. 하지만 오래전 추억 따위 더는 알아낼 필요가, 아니 의미가 없어져 버렸다.

"아니야, 엄마……."

"특별한 것 없더라. 만날 할머니랑 이모랑 놀았다는 얘기밖에 없어. 먹는 얘기는 또 뭘 그리 썼는지. 수박 먹었다. 두부 과자 먹었다. 할머니가 옥수수 쪄 줬다. 이모랑 주한에 가서 아이스크림 사 먹었다. 계곡 가서까지 주구장창 먹는 얘기만 하더라."

엄마가 어이가 없다는 듯 헛웃음을 터트렸다.

"동네 아이들이랑 어울렸다는 얘기는 없어. 산에 가고 돌탑에 소원 빌고 계곡물이 무척 차갑고 맑았다는 얘기, 모기 물렸다는 것도 있고."

"이레라는 이름 없었어?"

혹시나 하고 물었는데 엄마의 입에서는 다음과 같은 말들이 쏟아졌다.

"없다고, 이름은커녕 네 또래랑 어울린 얘기 자체가 없다니까. 일기장 다 뒤져 봐도 엄마 아빠 보고 싶다는 소리도 안 하더라. 다시 읽어 보니 은근 서운하네."

일기장에도 없는 걸 보면, 그야말로 잠깐 어울렸던 모양이었다. 하긴 그깟 이름 따위가 뭐라고. 이젠 관심조차 말끔히 사라져 버렸는데.

"한바림 너 진짜 언제 올 거야. 너 지난번에 엄마가 보내 준 링크 들어가 봤어? 그 선생님 괜찮지? 학원이 생각보다 멀지 않더라. 이번 기회에 미술 학원 바꿔 보는 건 어때? 너 자꾸 그림 안 그려지는 거, 단순히 슬럼프 탓만이 아니야. 잘 지도하는 선생님 만나면 또 확 늘어. 그 선생님이 재수생한테 그렇게 인기라더라. 그 뜻이 뭐야. 공부에만 족집게가 있는 줄 알아? 그림도 마찬가지야. 바림아, 이번 주에 엄마 내려갈까? 너 병원도 가 봐야 하고 말 나온 김에 그 미술 학원에 가서 상담이라도……."

"엄마 있잖아."

한꺼번에 너무 많은 것들이 부유하기 시작했다. 입시 미술과 대학, 내신과 수능, 그리고 지금까지 쌓아왔던 모든 시간과 노력……. 바림은 무슨 말을 어디서부터 어떻게 꺼내야 할지 알 수 없었다. 그만한다고 할까? 이제 그림이라면 지긋

지긋해졌다고? 과연 말할 수 있을까. 여기서 멈추기에는 너무 많이 와 버렸는데, 다시 돌아갈 수 있을까. 과연 어디로, 어떻게 무엇부터 시작해야 하는지 알 수 없었다.

"응. 바림아, 뭐?"

더는 이곳에 남아 있을 이유가 없었다. 장소를 바꾼다 해서, 학원을 쉬고 그림과 떨어져 지낸다 해서 해결될 일이 아니었다. 물리적 거리는 아무런 도움도 되지 못했다. 이러지도 저러지도 못하는, 시멘트처럼 굳어 버린 마음이 단 한 걸음도 움직이지 않았다.

"알았어. 이번 주에 데리러 와."

바림의 한마디에 엄마가 '칫' 소리를 내뱉었다.

"계집애, 되게 인심 쓰는 척하네? 쌀쌀맞기는. 다 늦게 사춘기니? 너 어릴 적에도 그랬어. '엄마 아빠 진짜 간다. 바림이 혼자 여기 있어야 해.'라고 은근히 겁줘도, '응.' 하면서 팔랑팔랑 손 흔들고는 제 이모랑 홀랑 집으로 들어가 버렸어. 얼마나 서운하던지. 너 일기장 보니까 '이모랑 한자 공부한 것도 아주 재미있었다.' 이렇게 써 놨더라. 엄마랑 학습지 할 때는 싫다고 난리를 치더니? 야 명색이 내가 아이들 학습 교재 만드는 연구원인데, 내 딸이 나랑 공부하는 걸 싫어하다니 말이 되니? 너는 엄마보다 그 잘난 강여울이 훨씬 좋지?"

이모 이야기가 나오자, 바림은 문득 잊었던 물음표 하나에 반짝하고 불이 들어왔다.

"엄마, 혹시 말이야."

"뭐?"

"금인가? 은인가? 하여간 이름이 외자라는데. 그 아저씨 알아? 그 아저씨는 엄마 알더라. 내가 엄마 딸이라고 하니까 바로 '너울이 누나'라고 하던데? 내가 엄마랑 똑 닮았다고."

"네가 금이를 어떻게……. 아니 언제 봤어? 혹시 집에 찾아왔니?"

"어제. 이모랑 잠깐 카페에서……."

바림이 채 말을 끝내기도 전에 전화가 끊어졌다. 그리고 곧바로 이모의 핸드폰이 요란하게 울렸다. 저 벨 소리의 주인공이 누구인지는 굳이 묻지 않아도 알 수 있었다.

"나 뭐 실수한 거야?"

바림이 질끈 아랫입술을 깨물었다. 문밖에서 이모의 목소리가 흘러들었다.

"강너울 씨가 이 시간에 웬일이야? 점심 안 먹어? 딸내미 걱정돼서 전화했지."

역시나 하면 안 되는 이야기를 해 버린 것 같았다. 바림이 고양이 걸음으로 다가가 빠끔히 방문을 열어 보았다.

손가락으로 애꿎은 바닥만 찍어 댔다. 분명 괜한 얘기를 한 것임이 틀림없었다. 바림은 차마 이모를 똑바로 볼 수 없었다. 비밀이었을까? 그랬다면 굳이 소개시키지 않았을 텐데. 하긴 그 상황에서 인사하지 않는 것도 이상했겠지만…….

엄마와 이모 사이에 정확히 어떤 이야기들이 오갔는지는 알 수 없었다. 문틈으로 들려오는 것이라고는, '별거 아니야.', '그런 거 아니라고.', '정말 또 소설 쓴다. 작가는 내가 아니라 강너울 씨네요.' 이런 말들뿐이었다. 한마디로 엄마의 일방적인 공격을 이모가 허술하게 막아 보려 한 것만은 짐작할 수 있었다.

"나는 그냥 엄마도 아는 사람이겠거니 했어. 엄마를 누나라고 불렀잖아."

"누가 뭐래? 한바림 너 괜히 눈치 보고 그런다?"

이모의 말처럼 고자질한 것은 아니었다. 비밀을 폭로한 것도 아니었다. 그러나 솔직히 고백하자면 바림도 궁금하긴 했다. 이모랑 다정히 차를 마신 남자가 어떻게 엄마까지 알고 있을까? 그 소식에 엄마는 왜 득달같이 이모에게 따다다다다를 시전했을까?

"눈치를 보는 게 아니라."

"눈치를 채라는 거지? 궁금해 죽겠으니까 알아서 털어놓으라는 거잖아."

이모는 사람 감정까지 꿰뚫는 신묘한 능력이 있었다. 이모가 잠시 바림을 바라보고는 짧은 한숨을 토해 냈다. 그 모습은 마치 명백한 증거 앞에서 자백하는 용의자처럼 느껴졌다.

"별 관계 아니야. 옛날에 결혼 직전까지 갔던 사이?"

"무…… 무슨 사이? 결…… 결혼? 이모랑?"

별 관계가 아닌 것과 결혼 사이에 과연 등호 표시가 존재할 수 있을까? 더욱이 다른 누구도 아닌 이모가 결혼을? 자유로운 영혼의 소유자는 그 명성에 맞게 지금껏 단 한 번도 연애나 결혼을 입에 올리지 않았다. 물론 비혼을 강력하게 주장한 적도 없지만…….

"언제? 그런데 왜? 무슨 일 있었어? 어떻게 만났는데, 엄마도 잘 알아?"

이모는 대답 대신 생강차 한 모금을 우아하게 마셨다. 누구보다 이모를 잘 안다고 믿었다. 이모는 바림에게 좋은 친구였으니까. 한없이 너그럽고 다정한 진짜 어른이었다.

'틀려도 돼. 다시 하면 되지. 괜찮아. 맨날 백 점을 맞으면 사실 그것도 재미없다? 틀려야 또 알아갈 수 있는 거니까. 그

게 진짜 배움이야.'

엄마는 정녕 모를 것이다. 바림이 왜 이모랑 함께했던 공부를 마냥 즐겁다고 표현했는지. 그러나 그것은 지극히 이모의 일부분에 불과했다. 누군가를 속속들이 다 이해하는 건 불가능한 일이었다. 바림 역시 이모에게 많은 비밀이 있고, 말 못 할 진실을 숨기고 있으니까. 아이러니하게도 스스로조차 알 수 없는 게 바로 인간이니까.

"초등학교, 중학교까지 같이 나왔어. 그냥 동네 친구. 우리 집에도 자주 놀러 왔지. 언니가 라면도 끓여 주고 간식도 사주고 했거든. 언니를 친누나처럼 잘 따랐어. 그러다 고등학교 때 금이가 주한으로 이사 갔어. 그 친구는 남고로, 나는 경진에서 여고로 통학했는데 여전히 자주 어울렸지. 나는 곧 죽어도 언니 따라 서울에 있는 대학 간다고 했더니 자기도 나 따라서 온다나? 그러더니 진짜 서울로 왔어. 물론 같은 대학은 아니었지만."

이야기가 이쯤 되면 누구나 대략적인 스토리라인이 그려질 것이다. 어릴 적 소꿉친구가 연인이 된, 영화와 드라마와 소설과 웹툰과 그 이외에도 무수히 많은 버전으로 재생산되는 청춘의 러브 스토리.

이모를 아는 사람들, 금과 연결된 지인들 모두 두 사람의 결혼을 예견했다. 물론 그 속에는 바림의 엄마 강너울 씨도 포함되었다.

"초등학교 입학 전부터 알고 지낸 사이니까 어림잡아 20년이었어. 언젠가부터 자연스레 금이랑 함께하겠구나 싶었어. 그런데 막상 결혼 얘기가 오가니까 마음이 이상하더라. 금이가 싫었던 건 아니야. 다른 사람이 생긴 것도 아니고. 모르겠어. 그냥…… 두려웠어. 이 선택이 맞는 건가? 결혼이라는 제도가 우리 둘의 관계를 악화시키지 않을까? 그런 의구심이 생겼거든. 금이가 아니라, 결혼이 싫었어. 하지만 누구도 이런 마음을 이해하지 못했을 거야."

이모는 끊임없이 자문했다. 너무 오랫동안 함께했기에 그냥 익숙해진 것이 아닐까? 어쩌면 결혼으로 인해 이 관계마저 깨지는 것이 아닐까? 너무 많은 생각과 혼란과 두려움이 거대한 파도가 되어 이모를 집어삼켰다. 그렇게 5월의 신부가 되기로 약속한 이모는 회사에 사표를 내고 훌쩍 비행기에 몸을 실었다. 양쪽 집안 상황이 어떠했을지는 딱히 보충 설명이 필요 없을 것이다.

"한마디로 두 집안 모두 뒤집혔지."

"그 우금이라는 아저씨는 뭐라고 했어?"

이모가 물끄러미 식어 버린 생강차를 내려다보았다. 마치 그 속에 오래전 한 날이 들어 있듯이.

도망치듯 사라진 이모는 3개월 만에 까맣게 탄 모습으로 나타났다. 금은 아무것도 묻지 않았다. 어디를 갔었는지 대체 무슨 이유로 사라져 버린 것인지 그 어떤 질문도 하지 않았다.

"얼마나 오랜 시간을 함께했는지는 그리 중요치 않아."

"……."

"우리는 여기까진가 봐."

그것이 이모가 처음이자 마지막으로 본 금의 싸늘한 뒷모습이었다. 모든 폭풍이 지나간 뒤 이모는 또다시 하늘을 날았다. 가끔 그가 생각났고 때로는 못 견디게 그리웠지만 단 한 번도 연락하지 않았다. 그건 금도 마찬가지였다. 강물에 떨어진 낙엽이 물길에 몸을 맡기듯, 두 사람은 시간이라는 길 위에서 조용히 각자의 삶을 내맡겼다.

"그사이 시간이 참 빨리 흘렀어."

이모가 손끝으로 조심스레 찻잔을 어루만졌다. 마치 오래된 기억을 쓰다듬듯 조용하지만 살가운 손길이었다.

"그럼 어떻게 다시 만난 거야?"

"오래전에 철도 공사에 입사했다는 소식을 들었어. 지금까지 쭉 서울에서 근무했대. 몇 해 전에 주한에 역 생겼잖아. 자원해서 내려왔다더라. 하필 내가 다니는 치과가 역 근처라서 작년 봄에 치과 갔다가 우연히 만났어."

정확히 13년 만의 재회였다. 스치듯 지나쳤는데 두 사람 모두 똑같이 멈춰 섰다. 그리고 서로를 향해 돌아서서 실없는 미소를 내비쳤다. 오래전 어느 날처럼. 서로 장난을 치다 복도에 무릎 꿇고 벌을 받던 꼬마들처럼 피식피식 짓궂게 웃었다.

"내 책 다 읽었다고 하더라. 강연장까지 왔다가 그냥 돌아간 적도 있었대."

"그럼 이모 때문에 주한으로 온 거야?"

"아니야. 나 경진에 있는지도 몰랐대. 서울이나 해외에 있을 거라 생각했대."

"혹시…… 결…… 결혼은?"

이모가 고개를 내저었다. 바림이 흥분해 대박을 외쳤다.

"뭐야. 그럼 지금까지 이모를 기다린 거야?"

"기다리긴 뭘 기다려."

이모가 소리치며 깔깔 소리 내어 웃었다.

"야, 현실은 드라마도 로맨스 소설도 아니야. 그냥 서로 먹고살기 바쁘다 보니까 시간이 이렇게 흘렀는지도 몰랐을 뿐이라고."

"그게 더 대단하다."

간절히 바란 것도, 애태워 기다린 것도 아니었다. 그러나 시간은 돌고 돌아 두 사람을 한곳에 내려놓았다. 이유가 어찌 되었든, 어떤 우연이든, 그것만큼 대단한 인연도 없지 않을까.

"그런데 엄마는 왜 그래?"

"지난번에 너희 집 갔을 때 금이한테 전화 왔었거든. 그 뒤로 저러는 거야. 괜히 넘겨짚고 오버하는 거 너희 엄마 특기 아니냐. 우리 둘 다 사십 넘은 아줌, 아재입니다."

"나이가 뭐 중요해. 어쨌든 아무도 모르는 거야. 돌고 돌아서 다시 만난 건지도."

"대한민국은 말이야 생각보다 작은 나라예요. 그만큼 좁다는 뜻이지."

"그래서 재회의 느낌은?"

무려 20여 년을 함께했고 10년 넘게 떨어져 지냈다. 결혼까지 약속했지만, 한 사람이 훌쩍 떠나 버렸다. 그러나 다시 돌아온 고향에서 두 사람은 거짓말처럼 재회했다. 이모는 다른 사람 이야기하듯 싱겁게 말했지만, 두 사람 모두에게 절대 쉽지 않은 시간이었을 것이다.

"별거 없어."

이모가 어깨를 으쓱하고는 말을 이었다.

"지금 생각해 보면 우리 둘 다 어렸지. 돌부리에 넘어지면 대성통곡하는 어린아이처럼 말이야. 그냥 툭툭 털고 일어나지 못했어. 뭐가 그리 두렵고 무섭고 겁이 났을까?"

그 마음이 정확히 어떤 느낌인지 바림은 알 수 없었다. 지금껏 한 번도 누군가를 마음에 담아 둔 적 없으니까. 그럼에도 어렴풋이나마 이해할 수 있었다. 그냥 툭툭 털고 일어나기엔 두 사람이 지나온 시간이, 쌓아 온 추억이 너무 많았을 테니까.

"엄마 오면 내가 잘 얘기할게."

바림의 한마디에 찻잔으로 향하던 이모의 손이 멈췄다.

"언제? 너 간다고 했어?"

"응. 엄마 토요일에 올 거야."

"고 3 된다고 너무 초조해하지 마. 네 엄마 혹시 너 입시생이라고 눈치 줘? 하긴 그 잘난 강너울 씨가 오죽하겠냐? 대학 입시가 중요한 건 알지만, 그게 전부가 아니라는 사실도 꼭 알아야 하는데. 어쨌든 우리 언니가 너 스트레스받게 하면 나한테 말해. 내가 가서 확 다 뒤집어 놓을 테니까."

"우리 이모 집안 뒤집는 거 너무 좋아한다. 이미 10여 년 전에 한 번 했잖아."

10년 전 이모는 현실에서 도망친 걸까? 아니면 벗어난 것일까? 누구는 이런 이모에게 무책임하다 말했겠지. 제멋대로라 비판하거나, 이기주의라 손가락질했겠지. 그러나 그것도 하나의 선택이 아닐까? 바림은 문득 이모의 용기가 부러웠다. 이것이 전부라 믿었던 스스로에게서 잠시 벗어날 수 있었으니까. 비록 후회할지라도 그 순간만큼은 그 선택이 최선이라 믿지 않았을까.

"그러니까 너도 해 봐. 일단 저질러 보면 별거 아니다?"

일단 해 보면 별거 아니라는 사실, 물론 모르지 않았다. 문제는 일단 해 보는 데까지 필요한 용기였다. 바림이 또다시 콕콕 손가락으로 바닥을 찍었다. 풀기에는 문제가 너무 많이 뒤엉켜 있었다. 꼬인 것들을 일일이 다 풀어낼 시간도 없었다. 결국 방법은 하나뿐이었다. 그냥 과감하게 단칼에 끊어내는 것. 고르디아스의 매듭을 잘라 버린 알렉산드로스 대왕처럼…….

현관 초인종이 울린 건 하늘에 노을이 번지던 늦은 오후였다. 동네 사람이지 싶었는데, "어, 이레 왔구나?"라는 이모의 한마디에 바림이 벽에 기댄 몸을 천천히 일으켜 세웠다. 드디어 그 아이가 제 발로 찾아온 것이다.

"어? 접시? 미안, 내가 깜빡했다. 엄마한테 부침개 정말 잘 먹었다고 전해 드려. 책 벌써 다 읽었어? 어쨌든 들어와. 참, 쿠키 먹을래? 혹시 다른 책 빌려 갈 건 없고?"

더는 노트북 화면도, 강사의 설명도 눈에 들어오지 않았다. 신경이 온통 밖으로 쏠렸지만, 바림은 애써 모른 척 방문 밖으로 벗어나지 않았다. 어쩐지 괘씸한 생각이 들었으니까.

"유치하다, 진짜."

처음부터 이모랑 아는 사이라고 말했으면 됐을 텐데. 뭘 되지도 않는 신비주의 콘셉트인지.

"바림아, 잠깐 나올래?"

이모가 불렀다. 바림은 잠깐 망설이다 결국 자리를 털고 일어났다. 한번쯤 너 되게 유치하다는 표정은 지어 줘야 했고, 오늘도 그 잘난 파란색 티셔츠인지도 보고 싶었다. 그렇게 벌컥 방문을 열어젖히던 바림은 그 자리에서 우뚝 멈춰 서 버렸다.

"내가 얘기했지? 내 조카 바림이. 여기는 우리 에세이 동아리 청강생 김이레."

거실에 멀뚱히 서 있는 아이는 파란 티셔츠를 입지 않았다. 새하얀 피부도 긴 속눈썹도 아니었다. 여자인지 남자인지 모를 모습도, 기묘한 분위기도 아니었다. 까무잡잡한 피부에

은테 안경을 쓰고 검은색 트레이닝복을 입고 있었다. 누가 봐도, 어느 각도에서 봐도, 백 미터 밖에서 봐도, 십 대 남자의 얼굴임이 틀림없었다. 고로 계곡에서 본 그 아이가 절대 아니란 의미였다.

"그럴 리 없는데."

반쯤 넋이 나가 버린 바림을 향해 이모가 손짓했다.

"뭘 혼자 중얼거려. 이레, 잠깐 앉아. 바쁜 일 없잖아. 바림이 너도 이리 오고. 두 사람은 생강차 싫어할 테고 인스턴트 커피 괜찮지?"

바림은 단단한 것으로 뒤통수를 얻어맞은 느낌이었다. 저 아이가 이레면 안 되는데? 왜 엉뚱한 사람이 찾아왔을까? 그럼 과연 계곡에서 만난 그 파란 티셔츠는…….

"한바림, 너 뭘 그렇게 멍하니 서 있어. 빨리 와 앉으라니까."

이모가 팔을 잡아끌어 의자에 주저앉혔다. 바림은 그제야 이레의 불편하고 어색한 시선을 눈치챌 수 있었다. 내가 너무 빤히 그리고 노골적으로 쳐다봤구나.

"너희 어렸을 때 가끔 놀았는데 기억나?"

두 사람 모두 대답하지 않았다. 바림의 머릿속에는 오직 백오산에서 만난 파란 티셔츠만이 둥둥 떠다녔다. 마을에서 이레 말고 또 어울렸던 친구가 있었던 걸까?

"나는 그림 되게 못 그리는데, 잘 그리는 사람 보면 다 천재 같아."

이레가 혼잣말인지, 칭찬인지 모를 말을 내뱉었다. 아마 이모를 통해 들었을 테지. 하나뿐인 조카가 미대 입시를 준비한다는 정보를. 이레가 열여덟의 나이에 큰 상을 받아 정식으로 등단한 동화 작가라는 사실을 바림도 익히 들어 알고 있으니까.

"나도 글 잘 쓰는 사람 부러워. 우리 이모 닮지 않아서 글 쓰는 건 영 소질 없거든."

바림이 말했다. 이레가 손가락으로 안경을 추켜올렸다.

"동갑이니까 말 편하게 해도 되지?"

"응."

"우와! 역시 세대가 다르네. 어! 물 끓는다."

이모가 자리에서 일어나 싱크대로 돌아섰다. 뜨거운 물을 붓자 인스턴트커피의 달짝지근한 향이 몽글몽글 퍼져 나갔다. 식탁 위에는 하늘빛 머그잔 두 개와 쿠키를 담은 접시가 놓였다.

바림이 천천히 머그잔을 기울였다.

"진짜 천재는 따로 있네. 취미로 가볍게 글 써서 동화 작가가 되고."

"운이 좋았어."

"천 편 넘게 응모됐다며. 되게 유명한 공모전이잖아. 대부분 진짜 동화 작가가 꿈 아닐까?"

이레가 눈을 들어 말끄러미 바림을 바라보았다. 나란히 앉은 이모의 따가운 시선이 바늘이 되어 관자놀이를 찔러 댔다.

"사람들 되게 놀랐겠다. 열여덟 고등학생도 대단한데, 이과생이 취미로 쓴 거라니. 이게 그 말로만 듣던 넘을 수 없는 사차원의 벽이라는 건가?"

"바림아."

이모가 슬쩍 팔을 건드렸다. 물론 잘 알고 있었다. 지금 유치한 사람이 누구인지. 하지만 대체 왜 빈정거리고 야유를 보내는지 정작 바림도 알 수 없었다. 아니 너무 잘 알고 있어 화가 치솟았다. 이레는 아무 잘못도 없었다. 잘못은 바로 엉뚱한 사람한테 있었다.

'뭐가? 내가 행복을 주는 사람이 되고 싶다는데? 그게 왜 말이 안 돼?'

누군가는 우연히 들은 노랫말 때문에 돌연 미술에 관심을 보였다. 그렇듯 가볍게 시작했는데도 결과는 놀라울 정도로 좋았다. 또 다른 누군가는 취미로 글을 써 작가가 되었다. 문제는 이 둘이 모두 바림과 같은 나이란 사실이다. 모두 가볍고 쉽게만 살아가는데, 그럼에도 어마어마한 결과를 만들어 내는데, 왜 나만 늦어 버린 걸까? 왜 나는 과감히 포기하지도, 새롭게 시작하지도 못하는 걸까? 저들은 어떻게 자신의 문제를 단칼에 잘라 버릴 수 있을까.

"취미는 아니야. 어릴 적부터 동화를 좋아했어."

이레가 말했다. 바림이 옷깃을 꽉 움켜잡았다.

"아예 진로도 그쪽으로 하지 그래. 국문과나 문창과."

이레는 왜냐고 되묻는 눈빛으로 바림에게 맞받아쳤다.

"할머니한테 어려서부터 옛날이야기를 많이 듣고 자랐어. 책 읽는 것도 좋아했고. 그냥 한 편 두 편 쓰다 보니 글이 좀 모이더라. 작가가 되려고 응모한 건 절대 아니야. 어쩌다 보니 운이 좋았지."

'그냥'이나 '어쩌다 보니', '운'이라는 말들이 계속해서 가슴을 찔렀다. 바림이 따분한 표정으로 어깨를 으쓱해 보였다.

"원래 천재들은 다 그런가 보더라. 가볍게 시작하고 또 재미없으면 쉽게 그만두고. 천재들은 삶 자체에 어려운 게 없잖아. 하긴 그래서 천재라고 하겠지만. 세상 더럽게 불공평하지."

"바림아!"

이모의 목소리가 날카로웠다. 의자가 드르륵 소리를 내며 뒤로 밀렸다. 이레의 표정이 가뭄에 바싹 마른 돌처럼 굳어 갔다. '내가 왜 이런 이야기를 들어야 해?' 싶은 차가운 눈빛과 '너 참 유치하다.' 같은 비웃음 가득한 표정을 숨기지 않았다. 당황한 이모가 튕기듯 몸을 일으켰다.

"벌써 가려고? 책 안 빌려 가?"

"그만 갈게요. 안녕히 계세요."

현관으로 향하던 걸음이 그 자리에 우뚝 멈춰 섰다. 서늘하게 빛나는 은테 안경이 뒤돌아 바림의 두 눈과 마주했다.

"가볍게 글 쓴 적 단 한 번도 없어. 그동안 공모전에서 수없이 떨어졌어. 일 년 동안 틈만 나면 내가 쓴 이야기를 고치고 또 고쳐 썼어. 사람들은 늘 결과만 가지고 판단하니까. 남들이 하는 건 모두 다 쉬워 보이나 봐. 네가 말하는 천재 중에 진짜 천재는 단 1퍼센트도 안 될걸?"

철컥 소리와 함께 현관문이 열렸다. 바림이 텅 빈 거실을 바라보았다. 나는 과연 무슨 얘기를 하고 싶었던 걸까? 대체 무엇에 이토록 화가 나고 짜증이 치솟는 걸까?

"이 녀석 접시 가지러 와 놓고 그냥 갔네."

이모가 바림을 곁눈질하고는 주섬주섬 식탁을 정리했다.

"왜 가만있었어. 뭐라고 한마디 하지. 그만하라고 소리라도 지르지. 나 멍청한 짓 한 거잖아. 유치했잖아. 그래, 나 배 아파서 그랬어. 질투 나서 그랬어. 이모도 다 알고 있었잖아."

누군가 그만하라 말해 주길 바랐다. 붓을 꺾고 그림을 찢어 버렸으면 속이 다 시원할 것 같았다. 더는 그림이 싫었다. 하얀 종이가 신물이 났고, 물감 냄새가 역해서 숨이 막혀 왔다. 지겹고 넌더리가 나서 더는 한 발자국도 앞으로 나갈 수 없었다. 그런데 쉽게 그만두겠다고 말할 수도 없었다. 지금까지 너무 오랫동안 해 왔으니까. 다른 무언가를 다시 시작하기엔 너무 늦은 것 같으니까.

"나 미대 안 가. 아니 못 가. 다시는 그림 안 그릴 거야. 지겨워 죽겠어. 이제 물감 냄새만 맡아도 헛구역질이 나."

이 말이 왜 하필 이 순간에 튀어나왔을까. 왜 엄한 이모에게 털어놓았을까. 아무 준비도 계획도 없이. 그런데 과연 이런 마음을 계획하고 준비할 수 있을까. 엄마한테 말하면 시원했을까? 학원 선생님에게, 단짝인 해미한테 그림 그만두겠다고 말하면 막힌 것이 뻥 뚫릴까. 바림이 이모를 향해 붕대 감긴 손을 들어 보였다.

"이모 있잖아. 내 손 말이야……."

꽉 동여맸던 무언가가 스르르 풀리는 기분이었다. 그것이 인대가 늘어난 오른손인지, 아니면 다른 곳인지 알 수 없었다. 바림의 입에서 지친 한숨이 흘러나왔다.

학원 건물을 빠져나오기 무섭게 살을 에는 칼바람이 불어왔다. 두꺼운 패딩 코트를 입어도 바람은 송곳처럼 몸 구석구석을 파고들었다. 며칠 전 내린 눈은 기어이 도로를 빙판으로 만들었고, 거리의 사람들은 아이스 링크를 걷듯 조심스레 천천히 움직였다. 가만히 보고 있자니 영화 속 슬로 모션이 따로 없었다.

"완전 춥다. 바림아, 발 시리지? 운동화로 갈아 신으라니까."

"귀찮아. 그냥 가자."

바림이 말했다. 해미가 종종걸음을 옮겼다.

"건물 뒤편으로 가야 해."

"왜?"

"한바림, 저 빙판길 안 보이냐. 괜히 잘못 내려갔다가는 골로 간다. 아우 진짜 뭐라도 좀 뿌리지. 사람들 죄다 돌아가잖아. 귀찮아도 안전한 길로 가야 해. 거기다가……."

해미의 시선이 바림이 신고 온 낡은 슬리퍼에 닿았다. 얼마나 오래 신었는지, 비 오는 날이면 학원 복도에서도 휘청거릴 정도로 밑창이 닳아 있었다.

"운동화도 미끄럽다. 너 그거 신고 내려가다가는 스키 점프 해야 해."

"됐어. 쉬는 시간 곧 끝나. 그냥 가자. 언제 뺑 돌아 건물 뒤까지 가. 바로 저긴데."

해미의 팔을 뿌리치고는 바림이 꽝꽝 언 비탈길을 내려갔다.

"야, 안 돼. 빙판길……. 야. 한바림, 조심해. 그렇게 막 내려가면……. 아악! 바림아, 괜찮아? 어떡해. 그러게 내가 뭐랬어. 내가 죄인이다. 편의점 얘기는 괜히 했어. 나 혼자 갔다 오는 건데. 야, 너 손! 손 괜찮아? 진짜 미치겠네. 바림아, 일어나 봐. 손 조심하고……."

알고 있었다. 경사진 내리막길이 꽁꽁 얼어붙었다는 것을. 사람들이 빙판길을 피해 멀리 돌아간다는 사실도 잘 알고 있었다. 바림은 너무 오래 신어 나달나달해진 슬리퍼를 신고 나왔다. 마모된 고무 밑창으로도 성큼성큼 빙판길을 내려갔다. 몸이 휘청하며 넘어진 순간 본능적으로 땅부터 짚었다. 체중과 충격이 고스란히 오른손으로 전달되고 찌릿한 통증이 전신을 훑어 내렸다. 이 모든 상황을 충분히 예측했다. 파란 티셔츠의 말은 사실이었다. 해미가 너무 늦게 미술을 시작해 걱정된 것이 아니었다. 바림이 잃어버린, 어쩌면 영원히 되찾을 수 없는 그림의 즐거움을 알게 될까 봐, 너무 잘해 낼까 봐, 불안하고 초조했다.

"나 넘어질 거 알고 있었어. 휘청하는 순간 일부러 손을 짚었어. 그래야만……."

이모가 바림을 품에 안고는 천천히 등허리를 쓸어 주었다. 10년 전 어린 조카를 가만히 안아 주던 이모였다. 그 부드럽고 포근한 품에서 꼬꼬마는 스르륵 잠이 들었다. 바림은 온몸에 힘이 빠져 손가락 하나 까딱할 수 없었다. 오래전 그날처럼 달고 깊게 잠들고 싶었다. 바림이 이모의 가슴에 깊게 얼굴을 묻었다. 창밖을 오색으로 물들이던 하늘은 서서히 진청색의 어둠을 흩뿌리고 있었다.

더치 오렌지

색상 코드 #ed6f22

"번역가 중에 말이야. 단어를 모르거나 해석이 안 돼서 힘들어하는 사람은 없어. 수많은 표현 중에 원작의 의도를 가장 잘 나타내는 표현을 찾기 위해 고민하지. 한국말로 번역해 놓으면 그 맛이 안 사는 경우가 있거든. 물론 뜻은 다 통해. 그런데 원문만이 가지고 있는 특유의 뉘앙스가 사라져. 우리는 그걸 고민하는 사람이야. 단 한 문장을 위해 몇 날 며칠을 사전 속에 파묻혀 있고 전문가를 만나고 수많은 문장을 썼다 지웠다 해. 그렇게 탄생한 이야기를 완벽하다고 생각하는 역자는 세상에 단 한 명도 없을 거야. 늘 불안해. 내가 과연 이 느낌을 온전히 다 전달했을까? 혹여 원작자의 뜻을 오해한 것은 아닐까?

이런 고민을 하다 보니 인간의 마음도 정확한 번역이 필요하다는 것을 알게 되었어. 뭔가 알 것 같고 어렴풋이 잡히기는 하는데 가장 정확한 마음은 보이지 않거든. 대충 이런가 보다 넘겨짚을 때가 많아. 나는 사랑을 그렇게 생각했어. 뜨겁고 열정적이고 불꽃처럼 타올라야 한다고. 그런데 내 사랑은 너무 잔잔했어. 그건 어쩌면 사랑이 아닐지도 모른다고 생각했어. 20대의 내가 해석한 사랑은 그런 거야. 그 시절 내가 가지고 있는 삶의 어휘는 너무 빈약했거든. 시간을 더 흘려보낸 뒤에야 인생을 자세히 볼 수 있게 되었어. 나라는 인간을 해석할 수 있는 어휘들이 많이 늘어났다고나 할까. 그 덕분에 사랑의 정의도 훨씬 다양하게 얘기할 수 있게 되었어.

후회? 후회는 회전목마와 같은 거야. 끊임없이 되돌아오거든. 어떤 날은 '그래, 내 선택이 옳았어.'라고 자신하다가도 또 어느 날은 대체 '내가 왜 그랬을까.'라며 땅을 치고 후회하지. 바림아, 어른이 된다는 건 말이야. 완벽한 선택을 하는 게 아니야. 그냥 후회 자체를 자연스레 받아들이게 되는 거지. 그것 역시 신중한 선택이었다고. 그 순간을 결정한 스스로를 존중하는 거야. 그러니까 네가 결정한 일에 후회가 남을까 두려워하지 마. 그것마저 받아들여. 그리고 잊지 마. 다시 돌아갈 수 있다는 사실을 말이야. 내가 지난번에 말했지. 술 취한 등산객이 백오산 돌탑 무너뜨렸다고. 거기에 새 돌탑이 다시 생겼어. 그사이 사람들이 하나둘 새로 쌓아 올린 거지. 원래 무너지고 다시 쌓아 올리고 이 지난한 일을 반복하는 게 인생이야. 멈춰 서는 게 아니라 잠시 쉬어 가는 길이라는 사실을 꼭 기억해.

결혼식까지 다 잡아 놓고도 나는 훌쩍 떠나 버렸어. 그런데 사실 떠난 게 아니야. 오히려 잠시 멈추어 선 거지. 그렇게 내 생각을 정리했어. 결론은 없어. 그냥 그 순간에 최선을 다한 것으로 만족할 뿐이야. 후회도 삶의 일부라고 인정할 수 있게 되었거든."

바림은 찬찬히 자신의 마음을 들여다보았다. 혹여 잘못 해석하고 있는 게 아닐까? 내 마음의 진심을 오역하고 있는 건 아닐까, 진심으로 고민했다.

그림이 싫은 건 아니었다. 그러나 적어도 지금은 계속하고 싶지 않았다. 더는 그림을 원망하고 미워하기 싫었다. 그러기 위해 잠시 모든 것을 내려놓기로 했다.

누구는 그럴싸한 변명이라 할 것이다. 이유가 뭐냐고 묻거나 포기한다는 말을 애써 포장한다며 비웃을지 몰랐다. 한계를 뛰어넘지 못한 실패자의 자기 위안이나 패배의 원인을 밖으로 돌려 버리는 회피라고 야유를 보낼 것이다. 뭐든 상관 없었다. 중요한 것은 스스로의 목소리를 듣는 것이니까. 이모의 말처럼 그 누구도 아닌 자신의 마음을 해석할 수 있는 인생의 언어를 배워 나갈 것이다. 경쟁도 평가도 사라진 어느 날, 우연히 정말 우연히 다시 붓을 잡게 되지 않을까. 후회와 안도, 실패와 성공, 모든 순간이 빙글빙글 돌아가는 회전목마 위에 있었다. 멀리 사라졌다 불쑥 눈앞에 나타나기를 반복했다. 이모는 그것에 익숙해지는 것이 인생이고 진짜 어른이 되는 것이라 말했다.

바림이 종이 가방을 손에 쥔 채 터벅터벅 길을 걸었다. 엄마는 하루에도 몇 번씩 전화를 걸어 여동생의 일상을 궁금해했다. 그 궁금증이라는 것이 무엇인지는 굳이 묻지 않아도 알 수 있었다. 그러니 이모가 핸드폰 화면을 보며 조용히 혼자 웃는다거나, 늦은 밤 누군가와 나직한 목소리로 통화를 한다는 얘기는 굳이 떠벌리지 않기로 했다.

바림은 누구도 이모에게 기대하지 않기를 바랐다. 눈에 보이는 결과를 보여 달라 재촉하지 않기를 원했다. 그런 것 없이도 이모는 충분할 테니까. 백오산은 때가 되면 초록으로 물들고 색색의 꽃을 피울 것이다. 그립고 소중한 것들을 품을 것이다. 재촉한다고 해서 여름을 건너뛰고 가을로 향하진 않을 테니까. 바림이 잠시 멈춰서 마른 가지로 남아 있는 가로수들을 보았다. 때로는 움켜쥔 것들을 과감히 놓을 수 있는 용기도 필요했다. 색색의 잎에 너무 큰 미련을 두면, 나무는 혹독한 겨울을 이겨낼 수 없을 테니까. 새봄에 다시금 연둣빛 싹을 피우지 못할 테니까 말이다. 인간도 자연의 일부라면 결국 인생에도 겨울은 반드시 찾아올 것이고, 그 시간이 지나야 봄을 만나게 될 것이다.

터벅터벅 걷다 보니 어느덧 눈앞에 까페 올제의 간판이 나타났다. 바림이 무겁게 어깻숨을 내쉬고는 카페를 향해 다가갔다. 문을 열자 전자음과 함께 자리에 앉아 핸드폰을 보던 누군가 고개를 들었다. '어?' 싶은 놀란 표정은 곧 어색한 미소로 바뀌었다. 이모가 오리라 생각했을 것이다. 커피 마시자 전화를 한 사람은 분명 여울 씨였으니까. 물론 본인이 직접 간다는 말은 하지 않았지만.

"너 뭐 마실래?"

바림이 창가를 향해 소리쳤다.

"카푸치노."

이레가 말했다.

"커피와 우유 거품 그 위에 계핏가루 톡톡하고, 저는 커피에 우유 많이 주세요."

바림이 카운터에서 커피 두 잔을 주문했다. 카페 주인이 고개를 들고는 빙그레 웃었다. 카페라테와 카푸치노가 훨씬 익숙한 세대라 생각했겠지? 바림의 시선이 카운터에 놓인 명함에 닿았다. 올제 앞에 붙은 파란색 쉼표가 유독 도드라져 보였다.

쉼표 그리고 올제. 내일로 가기 전에 잠깐 한숨을 돌리고 갈 수 있는 공간. 분명 많이 지치고 힘든 사람들의 편안한 휴식처가 될 것이다. 이 카페만큼은 백오산 아래서 오랫동안 문을 열어 주기를, 바림이 마음속으로 기도했다.

"앉아 계시면 가져다드리겠습니다."

카페 가득 고소한 우유 냄새가 떠다녔다. 바림이 손에든 종이 가방을 내려다보았다.

접시와 쿠키, 과일까지 챙기는 이모에게 먼저 이야기를 꺼낸 건 바림이었다.

'그거 내가 갖다주고 와도 돼?'

'그럴래? 이레 집이 어디냐 하면 밖으로 나가서…….'

이모가 말을 멈추더니 갑자기 주머니 속 핸드폰을 꺼내 들었다.

'응, 이레니? 지금 바빠? 그럼 커피 한잔할래? 집 말고 올제 알지. 거기로 와.'

지난번에 카페 문 앞까지 갔다가 다시 돌아왔는데 이번에는 메뉴판을 직접 볼 수 있겠구나. 이모의 짓궂은 표정을 모른 척, 바림이 식탁 위 종이 가방을 낚아챘다.

딸깍 소리와 함께 테이블 위에 커피 잔이 놓였다. 이레가 손끝으로 손잡이를 만지작거렸다. 이 상황이 적잖이 어색한 모양인데, 그건 마주 앉은 바림도 마찬가지였다.

"어제 일은 미안해. 사과하러 왔어."

그러니 빨리 본론으로 들어가는 것이 서로를 위해 좋을 것이다.

"사과까지 할 필요 없잖아. 뭐 나쁜 얘기 한 것도 아니고."

은테 안경 너머 길고 가는 눈이 부드럽게 반원을 그렸다.

"내 멋대로 말했잖아. 잘못한 거야."

이레는 그동안 공모전에서 수없이 떨어졌다. 지금까지 꾸준하게 글을 썼고, 틈만 나면 쓴 이야기를 퇴고했다. 그 지난하고 힘든 과정을 바림은 애써 모른 척했다. 그러니 함부로 재능 운운한 것은 명백한 실수였다.

두 사람 사이에 어색한 침묵이 내려앉았다. 테이블 가득 맵싸한 시나몬 향기가 피어올랐다.

"어제, 네 이야기 듣고 나도 생각을 좀 해 봤어."

먼저 입을 연 사람은 이레였다. 바림이 조용히 이야기에 귀를 기울였다.

"솔직히 글 쓰는 걸 좋아해. 어려서부터 꾸준히 일기도 써 왔고, 블로그에도 서평이나 짧은 에세이를 올리거든. 그러다 보니 크고 작은 글쓰기 대회에서 약간의 성과를 보인 건 사실이야."

"정식 작가 등단을 약간의 성과로 보긴 좀 힘들지 않아?"

"그건 진짜 운이 좋았다니까."

이레가 살짝 붉어진 얼굴로 뒷머리를 긁적였다. 바림은 그 모습이 어딘가 낯이 익었다. 환영처럼 까만 얼굴에 동그란 머리의 꼬마가 나타났다 사라졌다. 저 안경, 어쩌면 안경 때문에 쉽게 알아보지 못한 모양이었다. "내가 제일 좋아하는 책이야."라고 말하며 책장을 넘기던 어린 꼬마의 얼굴이 기억 너머에서 빠끔히 고개를 내밀었다.

"네 말처럼 문창과를 생각 안 해 봤다면 거짓말일 거야. 그런데 좋아한다고 꼭 전공해야 하고 진로로 결정해야 하나? 그런 생각이 들었어."

바림이 가만히 까만 커피 잔 속으로 시선을 돌렸다. 처음부터 그림이 싫었다면, 애당초 미술 학원 따위 신경 쓰지 않았을 것이다. 해미가 그만두었을 때조차 혼자서 꿋꿋하게 학원에 다녔었다. 바림의 가슴속에는 분명 그 시절의 행복한 기억이 간직되어 있었다. 미술이 과정이 아닌 대학 입학의 도구가 되었을 때, 그때부터 행복이 사라지기 시작했다. 하지만 그렇기에 더더욱 그 시스템 속에서 빠져나올 수가 없었다. 하면 즐거운 과정이 반드시 해야만 하는, 아니 해내야만 하는 결과로 바뀌어 버렸으니까.

"사실 좋아하는 건 글쓰기뿐만이 아니야."

"컴공과 가고 싶다며. 프로그램 만드는 데 관심 많다고 들었어."

이레가 대답 대신 천천히 커피 한 모금을 마셨다. 툭 붉어진 목울대가 살짝 움직였다.

"우리 반에 정말 잘하는 놈이 있어. 어플도 만들고 게임도 개발하고. 그런 녀석에 비하면 나는 아직도 멀었지. 애들이 나보고 뼛속까지 문과래. 그런데 왜 이과를 고집하냐면서……."

이레의 입가에 허탈한 미소가 지나갔다. "너도 참 복잡하구나."라는 한마디는 진한 커피 향기 속에 묻어 두었다. 바림은 자신만 힘들고 괴로운 줄 알았다. 세상에는 자신의 문제가 가장 크고 무거운 것 같았다. 그런데 주위를 조금만 둘러봐도 모두 스스로의 어깨 위에는 무거운 고민 하나씩을 짊어지고 있었다. 바림이 이레를 향해 부러 환하게 웃었다.

"무슨 말인지 알 것 같아."

좋아하는 것을 잘하는 사람보다 서툰 사람이 더 많을 것이다. 때로는 잘하는 것과 좋아하는 것이 불일치할 때도 있을 것이며, 좋아하는 것이 너무 많거나, 반대로 그 무엇에도 관심이 없을 수도 있었다. 너무 많아도 탈이고, 아무것도 없어도 문제일 테니까. 지금은 서툴지만, 머지않은 미래에 잘하게 될 수도 있지 않을까? 지금은 잠시 떠나 있지만, 언젠가 다시 만나는 사람들처럼. 세상 만물이 둥근 땅 위에서 사는 건 모두 이런 이유 때문이 아닐까.

"그런 너는 일찌감치 진로를 정해서 좋겠다."

"정하긴 했지. 그런데 정한 길로 꼭 가라는 법은 없잖아."

은테 안경 너머 긴 눈 속에 선명한 물음표가 떠올랐다.

"너 길치의 특징이 뭔 줄 알아?"

"길치?"

진로 얘기하다 갑자기 웬 길치야라며 되묻는 표정으로 이레가 살짝 미간을 구겼다.

"어? 이 길이 아닌데? 하면서도 안 멈추고 계속 간다잖아."

"뭐야 그게."

이레가 고른 이를 내보이며 키득키득 소리 내어 웃었다. 아 저 웃음 생각난다. 어린 바림이 무슨 얘기만 해도 까르르 웃던 밤톨 같은 아이가 10년의 시간을 건너 눈앞에 앉아 있었다. 10년이란 세월이 새삼 길고도 짧게 느껴졌다.

"인생에도 가끔 길치가 있어. 아닌데 싶으면서도 멈추지 못하는……."

바림의 목소리가 허공에 힘없이 흩어졌다. 동시에 이레의 미소도 빠르게 지워졌다.

"길치는 길을 헤매는 사람이지. 길을 아예 못 찾는 사람은 아니잖아."

"……."

"인생에 길치 아닌 사람이 얼마나 있겠냐?"

이레가 피식 웃고는 재빨리 말을 이었다.

"손 다쳤다던데 이제 괜찮아?"

"응, 조금 덜 답답해졌어."

"답답? 아 오른손 못 써서? 인대가 늘어났다며. 통증은 없어?"

"많이 나아졌어."

"다행이네."

바림이 가만히 오른손을 움직여 보았다. 그리고는 유리 벽 너머 겨울 들판으로 눈을 돌렸다.

이곳에 와서 정말 다행이었다. 아무 조건 없이 얘기를 들어 주는 이모가 있어서. 탁 트인 들판과 높은 산이 있어서. 바라만 봐도 평온해지는 계곡이 있어서. 다시 만난 오랜 친구가 있어서 진심으로 다행이었다.

카페를 나온 두 사람이 길 한가운데서 서로를 향해 마주 섰다.

"접시 찾으러 왔잖아. 어머니한테 김치부침개 정말 맛있었다고 전해 드려. 사실 우리 이모는 맛도 못 봤어. 내가 다 먹었거든."

이레에게 종이 가방을 건네고는 바림이 엄지를 세웠다.

"축하해. 누가 뭐라 하든 대단한 성과야."

"고마워."

이레가 시선을 발끝에 모으며 나직이 말했다.

"네 사정 잘은 모르겠지만, 좋아하는 일을 꼭 전공하거나 직업으로 삼아야 하는 건 아닐 거야. 그래서 행복한 사람이 있겠지만, 정반대로 힘들어하는 사람도 있을 테니까. 진짜 좋아하는 건, 꼭 하나일 필요도 없고, 앞으로도 계속해서 변할지도 모르잖아. 나는 나에게 되도록 많은 가능성을 열어 놓고 싶어."

이레는 단 한 번도 작가를 꿈꾼 적이 없었다. 다만 글을 잘 쓰고 싶은 욕심이 있었고 여러 공모전에 도전한 이유도 글쓰기 공부 중 하나라 생각해서였다. 그토록 많은 탈락의 고배를 마셔도 태연할 수 있었던 건, 오롯이 그 과정을 즐겼기 때문이었다. 어쨌든 공모전에 도전한 덕분에 그동안 많은 작품을 쓸 수 있었고, 그것들이 모여 오늘의 이레를 있게 했으니까.

"길치의 장점 중 하나가 여기저기 기웃거릴 수 있다는 거잖아. 너도 분명 더 많은 가능성을 만날 거야."

글을 쓰는 아이라서일까? 이레는 한마디 한마디를 신중하게 이어 나갔다. 하지만 조심스러운 표정과 목소리에도 따듯한 온기가 느껴졌다. 이레는 정말 좋은 아이였고, 분명 좋은 글을 쓰는 사람이 될 터였다.

"그래, 아직 시간 있으니까. 참! 나중에 수상 작품집 나오면 꼭 읽어 볼게."

잘 가라는 인사를 마지막으로 이레가 돌아섰다. 언젠가 경진에 다시 오면 그땐 이레의 모습을 절대 잊지 않을 것이다. 책이 나오면 작가에게 친필 사인을 받으러 오는 것도 좋을 텐데……. 그 순간 불현듯 하나의 생각이 바림의 머리를 스쳐 지났다.

"나 물어볼 게 하나 있는데."

이레가 가던 걸음을 멈추고 바림을 향해 돌아섰다.

"여기 네 또래, 아니 우리 또래 애들 많아? 그러니까 고등학생 말이야."

"나 빼고 네 명 정도 있어. 대부분 아침에 같은 버스 타고 가니까."

"그럼 혹시."

백오산에서 만난 그 아이를 어떻게 설명할 수 있을까. 이름도 성별조차 알 수 없었다. 한겨울에도 파란 티셔츠 차림에 까만 고무신을 신었다. 눈처럼 창백한 피부에 속눈썹이 길었다. 껑충한 키에 골격이 컸으며…….

"물수제비 잘 뜨는 애 알아? 한 번에 일곱 번이나 날릴 수 있는 애."

"물수제비?"

너무 황당한 질문인 걸 바림도 잘 알고 있었다. 그런데 아이를 떠올리면 수면 위를 날던 돌멩이밖에 생각나지 않았다. 그리고 물빛을 닮은 진한 파란색 티셔츠…….

이레가 손끝으로 안경을 밀어 올렸다.

"세 명은 나랑 친해. 두 명은 여자고 한 명은 남자. 중학교 때부터 알고 지냈는데 물수제비랑은 상관없는 녀석들이야. 나머지 한 명은 작년에 이사 왔어. 걔는 아침마다 아빠가 학교까지 태워 주더라. 말 섞어 본 적은 없는데. 모르지, 물수제

비를 잘 뜨는지는."

작년에 이사 왔다면 바림을 알 턱이 없었다.

"왜 찾는 애라도 있는 거야?"

바림이 아니라며 도리질 치고는 다시 물었다.

"너 혹시 백오산 돌탑에 소원 빈 적 있어?"

"어릴 적에는 장난으로 빌었던 것 같아."

"진심이었겠지. 오히려 그때가 가장 진심이지 않았을까?"

"그런가? 뭐 일리 있는 말이네."

그 시절은 모든 것이 진짜였다. 하고 싶은 것과 가지고 싶은 것, 되고 싶은 것까지 말이다. 어린 시절 바림은 자신이 흐르는 물 같다고 믿었다. 굳이 하나의 모습으로 단정 짓지 않아도 되는, 그렇기에 그 무엇도 될 수 있는 존재. 적어도 그때는 무엇이 자신을 가장 행복하게 만드는지 잘 알고 있었으니까.

이레와 헤어진 뒤 바림이 뒤돌아 걸음을 옮겼다. 깊게 호흡하자 가슴 가득 차가운 공기가 스며들었다. 수많은 시간이 쌓이고 쌓여 여기까지 왔다. 그동안의 노력과 경제적 비용까지 생각하면 쉽게 그만둘 수가 없었다. 그 미련이 결국 스스로를 벼랑 끝으로 내몰았다.

'술 취한 등산객이 백오산 돌탑 무너뜨렸다고. 거기에 새

돌탑이 다시 생겼어.'

지금까지의 노력이 완전히 사라진 것은 아닐 것이다. 다시 쌓아 올릴 것들은 충분했다. 아직 스무 살도 되지 않았으니까. 물길처럼 굽이쳐 흐르는 시간을 멀리 보아야 하니까. 바림이 눈을 들어 우뚝 솟은 백오산을 바라보았다. 검고 푸른 계곡물과 그 위를 튀어 오르던 돌멩이들이 하나둘 눈앞에 스쳐 지났다.

"바림아 집에 폭탄 떨어졌어. 빨리 와."

이모의 다급한 전화에 백오산으로 향하던 걸음이 서둘러 돌아섰다.

"이모 뭐야? 무슨 일인데."

바림이 헐레벌떡 거실로 뛰어들며 소리쳤다.

"우리 딸 보고 싶어서 왔지."

귓가에 날아든 건 엉뚱하게도 엄마의 목소리였다. 이모가 그렇게 됐다는 표정으로 어깨를 으쓱해 보였다.

조마조마한 마음으로 달음박질쳤지만 바림은 설마 이모가 말한 폭탄이 엄마일 거라고는 미처 생각지 못했다.

"뭐야. 내일 오기로 했잖아."

"연차 쓰려고 오늘 할 일까지 어제 다 몰아서 해 놨지."

"감동적인 모녀 상봉이네. 자, 상봉했으니 그대로 두 분 올라가세요."

철 수세미처럼 까칠한 말투를 보니 두 사람 사이에 어떤 대화가 오갔는지 어렴풋이나마 짐작할 수 있었다.

"왜 나 하루 자고 갈……."

"아니 나 작업해야 해. 급하게 마무리 지어야 할 원고도 있고 출판사에 기획서도 제출해야 하고 또 번역 아카데미 강연 준비도 해야 해. 나 아주 몹시 매우 바빠. 그러니까 그냥 가."

이모가 귀찮은 파리를 쫓듯 휘휘 허공에 손을 내저었다.

"야 누가 당장 너한테 결혼이라도 하래? 네 눈에는 이 언니가 그렇게 고리타분한 옛날 사람으로 보이니? 나는 그냥……."

엄마가 말을 멈추고 허공에 딱 손가락을 튕겼다.

"오늘 주한 가서 술 한잔할까? 금이 몇 시에 퇴근해? 내가 오늘 저녁 산다고 그래. 오랜만에 금이 얼굴 좀 보자. 바림이 하고도 인사했다며. 너 빨리 전화해 봐."

"조카님. 슬슬 짐 챙기시죠. 어머님 모시고 서울 갈 준비 하세요."

엄마가 휴가를 낸 이유가 명확해지는 순간이었다. 바림이 허탈한 표정으로 털썩 소파에 걸터앉았다. 이럴 줄 알았으면 백오산이나 다녀올 것을, 이모의 엉뚱한 SOS에 아까운 시간만 낭비해 버렸다.

"얘 말하는 것 좀 봐. 금이는 너만 아니? 내가 어릴 때 간식 사 줘, 라면 끓여 줘, 숙제도 봐 줘. 걔 ABC 처음 가르쳐 준 사람도 나야."

"올라가서 바림이 붕대나 풀어 줘. 오래 감고 있었어. 병원 가면 편한 것으로 바꿔 줄 거야."

이모가 웃으며 바림의 무릎을 살포시 다독였다. 엄마에게 말하면 뭐라 할까? 왜 결승전을 코앞에 두고 포기하느냐 묻는다면 뭐라 답해야 할까? 또다시 머릿속이 팽팽해지는 기분이었다. 바림이 꿀꺽 마른침을 삼켰다.

"엄마 있잖아 나……."

"바림아 천천히. 아직 시간 많아. 곧 아빠도 오실 것 아니야?"

이모가 한쪽 눈을 찡긋해 보였다. 다른 지원군이 필요할 거란 뜻이었다. 철저하게 계획적인 엄마에 비한다면, 아빠는 다소 유한 성격이었다. 어쨌든 한번은 거쳐야 할 문제였고 직접 부딪혀야 했다. 바림이 이모를 향해 고개를 끄덕였다.

"뭐야. 두 사람 그새 또 뭔가 있었어?"

"있긴 뭐가 있어. 참 언니 저번에 바지 편하다고 했지. 그때

준다는 걸 깜빡했다. 언니 가져가. 원단도 좋고 집에서 입기 편해. 그리고 코트도 언니 입어라. 작년에 세일해서 샀는데 나는 별로 입을 일이 없어. 언니는 매일 출근하잖아."

벌떡 몸을 일으키는 이모를 따라 엄마도 방으로 들어갔다.

"참, 네 형부가 번역 새로 부탁한대. 이번에는 개인적으로 부탁하는 거 아니라고 회사 차원에서 주는 일이래. 페이 두둑하다는데 너 생각 있어? 야, 강여울."

바림의 시선이 겨울 햇살이 내려앉은 창밖으로 돌아섰다. 같은 사물임에도 빛이 어디에서 비추느냐에 따라 전혀 다르게 보였다. 그러나 빛은 늘 한자리에 머물러 있지 않았다. 구름에 잠기고, 비에 젖고, 어둠에 파묻히는 것이 빛의 속성이니까. 또 언제 어디서 환하게 비춰 줄지 아무도 알 수 없다.

그 순간 삐거덕 소리와 함께 이모가 모습을 드러냈다.

"참, 너도 이거 가져가. 만날 올라갈 때 가져다준다면서 잊어버리지. 오늘도 코트 안 꺼냈으면 또 잊어버릴 뻔했다."

바림이 두 손을 뻗어 이모가 건넨 상자를 받았다.

"너 초등학교 여름 방학 때 그림 그렸던 거. 한자 공부한 것도 있어. 네가 할머니랑 나한테 편지도 썼잖아. 할머니가 버리지 않고 다 모아 놓았어. 네 엄마 꼼꼼한 거 다 할머니 닮아서 그런 거야."

제법 큰 종이 상자였다. 이게 뭐라고 가슴까지 두근거릴까? 바림이 천천히 상자의 뚜껑을 열었다. 제일 먼저 보이는 건 꼬꼬마가 그린 할머니의 초상화였다. 지금과는 다른, 긴 머리의 이모도 있었다.

"인물의 개성을 아주 잘 잡아냈지?"

이모가 말했다. 바림이 천천히 상자를 뒤적였다. 삐뚤빼뚤하게 쓴 한자 공책과 수박과 옥수수를 그린 정물화도 발견했다. 앞마당에 핀 들꽃 너머 멀리 백오산이 보였다.

"풍경화의 구도도 아주 안정적이고 멋져."

인물화나 풍경화 정물화조차 몰랐을 때였다. 구도나 비율도 투시와 그러데이션도 몰랐다. 그런데 제법 느낌이 살아 있었다. 어쩌면 가장 완벽하게 그림을 그리던 시절이지 싶었다.

"아니야. 그 자료 내가 이미 넘겼어. 안 갔대? 분명 보냈는데. 지난번 회의 때 이 대리한테 바로…… 혹시나 해서 내가 유에스비 메모리에 담아 놓긴 했어. 지금 집이 아니라서. 그럼 이따 저녁에 보내 줘도 될까? 주말에도 일하게 생겼네."

방 안에서 엄마의 목소리가 흘러나왔다. 이모가 귓가에 작게 속삭였다.

"네 엄마 붙잡아도 어차피 가야 할 사람이었어."

바림의 시선이 낡고 빛바랜 상자로 돌아섰다. 그 순간 불쑥 눈앞에 그림 한 장이 나타났다.

"아, 생각난다 이거. 할머니 가게 쉬는 날 김밥 만들어서 계곡 놀러 갔잖아. 그때도 스케치북이랑 크레파스를 제일 먼저 챙겼지. 네 스케치북 안 젖게 하려고……. 야, 바림아. 한바림! 너 어디 가."

바림이 운동화에 발을 구겨 넣고는 현관을 벗어났다. 그럴 리 없었다. 절대로 그럴 리 없을 것이다. 말도 안 되는 일이었다. 이모의 성마른 외침을 모른 척 바림은 앞만 보며 뛰었다. 눈앞에 백오산이 점점 더 가까이 다가왔다. 귓가에 찰방거리는 계곡물 소리가 들려오고 눈이 시리도록 파란 하늘에 까만 한 점으로 새가 멀어져 갔다.

옐로 골드

색상 코드 #c4b217

드디어 멀리 서낭당이 보였다. 바림이 거친 숨을 내뱉으며 돌탑으로 뛰어갔다. 위태롭게 쌓아 올린 돌탑들은 굳건하게 그 자리를 지키고 있었다. 인적이 사라진 산허리에 차가운 공기가 맴돌았다. 까치가 날아오르고 이름을 모를 산새가 마른 가지 위를 종종거렸다. 바림이 허벅지에 두 손을 떼고는 힘겹게 상체를 일으켰다. 어딘가에서 그 아이가 지켜보고 있을 것만 같았다. 서낭당 나무 뒤나 풀숲? 아니면…….

"나 왔어."

바람이 휘도는 산속에 가늘게 떨리는 목소리가 울려 퍼졌다.

"나 왔는데."

누구에게, 무엇에게 얘기하는지 알 수 없었다. 과연 다시 만날 수 있을까? 하지만 꼭 만나야 했다. 바림이 깊게 숨을 들이마시고는 터벅터벅 산을 올랐다. 크고 작은 돌탑들과 헐벗은 서낭당과 앙상한 나무들이 조금씩 등 뒤로 멀어져 갔다. 하염없이 위로만 향하던 발걸음은 결국 한 자리에 우뚝 멈춰 섰다. 물소리가 가까이 들려왔다. 바림이 한 걸음 두 걸음 돌계단을 밟아 내려갔다. 일순간 숲의 모든 것이 정지된 기분이었다. 흐르던 물과 산허리를 휘돌던 바람. 새의 날갯짓과 마른 가지를 밟는 소리까지 모든 감각이 사라져 버렸다. 구불거리는 계곡 위로 적갈색 낙엽들이 종이배처럼 둥둥 떠다녔다.

아무도 믿지 못할 것이다. 바림 스스로도 믿을 수 없었다. 그럼에도 다시 만날 수 있을 거란 헛된 기대를 품고 여기까지 한걸음에 달려왔다.

"10년 만이지? 11년인가?"

강산도 변한다는 긴 시간을 지나왔다. 그 세월 동안 계곡물은 흐르고 흘러 바다에 닿았을 것이다. 여덟 살 꼬마는 어느덧 고 3으로 자라 있었다. 자연은 결코 멈춰 있지 못했다. 잎이 떨어지면 새싹이 돋고, 눈이 쌓이면 다시 녹는다. 인간도 마찬가지가 아닐까. 쌓아온 것들이 있으면, 잃어 가는 것도 있고, 손에 쥔 것과 안타깝게 놓친 것도 교차할 것이다.

"나 네 이름 알아."

까맣게 잊고 있던 이름과 모습, 미소까지 바림은 모든 것이 한꺼번에 떠올랐다.

'한바림 네가 말이야. 나를. 정말 많이 좋아했으니까.'

좋아했다. 사랑했다. 그럼에도 한순간 모든 것들이 증발해 버렸다. 정확히 언제인지 기억나지 않았다. 정확히 언제부터 좋아했는지 기억할 수 없는 것처럼.

'그럼 다행이고. 너무 꽉 묶어 놓아서 나중에 못 풀면 어떡해?'

그 질문의 의미를 이제야 알 것 같았다. 꽉 묶여 버린 마음이, 도저히 풀릴 수 없게 뒤엉킨 문제가 걱정되었을까. 그렇게까지 힘들면 차라리 그냥 끊어 내라고 말하고 싶었겠지.

"수야. 네 이름 수 맞지?"

가만히 숲에 귀를 기울여 보지만 아무 소리도 들리지 않았다. 돌계단을 밟아 내려오는 걸음도, 해맑게 웃던 천진한 미소도 모두 사라져 버렸다. 과연 진짜 그 아이를 만났던 것일까? 다시 만날 수 있을까? 생각하며 바림이 떨어진 돌멩이를 집어 들었다. 그리고는 계곡을 향해 비스듬히 집어 던졌다. 한 번도 수면을 스치지 못한 돌멩이가 퐁당 소리와 함께 가라

앉아 버렸다.

'벌써 10년도 더 지난 일을 너는 참 잘도 기억한다. 미안한데 나는 너 전혀, 조금도 기억 안나거든? 이름도, 사는 곳도 말이야. 우리가 언제 어디서 어떻게 만났는지도 모르겠어.'

'한바림, 벌써라니? 고작 10년인데.'

똑같은 10년이었다. 누군가는 벌써라 했고 또 다른 이는 고작이라 했다. 열여덟에 어떤 아이는 새로이 붓을 잡았고, 또 다른 아이는 결국 붓을 내려놓았다. 사람들은 모두에게 똑같이 너무 늦었다고 말했다. 과연 정말 늦은 것일까? 고작 열여덟인데.

"나 기억했어. 수. 꽉 묶인 거 내 힘으로 다 풀고 올 테니까. 꼭 기다려."

멀리서 퐁당 소리가 들려왔다. 그것이 아이의 대답인 것 같아 가슴이 시렸다. 바림이 터벅터벅 돌계단으로 걸음을 옮겼다. 금방이라도 수의 맑은 목소리가 들려올 것 같았다. 드디어 내 이름을 떠올렸냐며, 결국 기억해 낼 줄 알았다며 짓궂게 웃을 것 같았다. 하지만 등 뒤에서 들려오는 건, 무심하게 흘러가는 계곡의 물소리뿐이었다.

허청거리던 발걸음이 또다시 돌탑 앞에 멈춰 섰다. 지금까지 정말 많은 탑이 쌓였다 무너지기를 반복했을 것이다. 사람 키만큼 쌓아 올린 탑부터 무릎에도 못 미치는 작은 탑들도 있었다. 하지만 절대 무너지지 않는다고 누가 장담할까. 바림이 돌멩이를 집어 들고는 작은 탑 꼭대기에 올려놓았다.

10여 년 전 과연 이곳에서 어떤 소원을 빌었는지 생각나지 않았다. 앞으로 10년이 지나면, 지금의 소원 역시 기억하지 못할 것이다. 그래도 상관없었다. 모든 것을 기억하는 사람이 없듯, 모든 소원을 이룬 사람 역시 없을 테니까.

'진짜 좋아하는 건, 꼭 하나일 필요도 없고, 앞으로도 계속 해서 변할지도 모르잖아. 나는 나에게 되도록 많은 가능성을 열어 놓고 싶어.'

이레의 말처럼 모든 것은 변할 것이다. 계절이 순환하듯 소원도 계속해서 변해 가고 계속해서 좌절할 것이며 또 계속 해서 후회할 것이다. 어른이란 후회를 안 하는 것이 아니라, 후회 자체에 익숙해지고 그것 또한 삶의 한 부분이라고 인정하는 사람이니까.

바림이 눈을 감고 마음속으로 소원을 읊조렸다. 지금까지 쌓아왔던 것들이 무너질 것이다. 그에 따른 혼란도 클 것이며 많은 이들을 당혹게 할 것이다. 두렵지 않다면 거짓말일 것이다. 하지만 이것 또한 포기가 아닌 선택이라 믿고 싶었다. 그럴싸한 변명이라 손가락질 받아도 상관없었다. 이 선택이 어떤 결과를 낳을지는 스스로도 알 수 없으니까. 바림이 이 산에서 누구를, 무엇을 만났는지 아무도 믿지 않는 것처럼. 그건 오직 단 한 사람만이 경험한 기적이요 선물이었다.

바림이 몸을 돌려 천천히 산길을 내려갔다.

"너 핸드폰도 던져 놓고 어디 갔다 온 거야? 이모랑 엄마가 얼마나 놀랐는지 알아?"

거실에 들어서기 무섭게 성마른 목소리가 날아들었다. 바림이 가만히 엄마 앞에 두 무릎을 꿇었다. 이제 복잡하게 뒤엉킨 문제를 제힘으로 끊어 내야 할 시간이 왔다.

"바림아. 아빠도 함께 계실 때……."

"아니 이모. 나 지금 말할래. 여기서 말하고 싶어."

"너희들 뭐야 지금? 한바림, 너는 또 왜 이래? 사람 무섭게."

당황한 엄마가 두 사람을 번갈아 보았다. 바림이 무릎 위에 놓인 손을 꽉 말아 쥐었다.

"엄마. 나 미술 학원 그만둘 거야. 미대 입시 준비 그만할 거야."

"뭐?"

"엄마 말대로 지금이라도 내신 신경 써서……."

"한바림! 너 지금 무슨 소리 하는 거야? 이제 와 미술을 그만둬? 학원 안 다닌다고? 그럼 너 지금까지 뭐 한 거야?"

겨울바람보다 싸늘한 목소리가 가슴을 파고들었다. 이미 각오했지만, 바림은 울컥 목울대가 아려왔다. 엄마가 이런 반응 보이는 것도 무리는 아니었다. 지금까지 딸을 위해 얼마나 노력했는데, 그 시간은 절대 바림 혼자만의 인내가 아니었다. 서럽지도 화가 나지도 않았다. 바림은 그저 엄마에게…….

"미안해. 엄마 정말 미안한데, 더는 못하겠어. 미대 입학이 문제가 아니야. 이러다간 영원히 그림이 싫어질 것 같아서……."

고이지도 못한 눈물이 떨어져 바지에 얼룩을 만들었다. 강파른 어깨가 여리게 흔들리고 바림이 고개를 숙인 채 서럽게 울음을 토해 냈다. 이모가 가까이 다가와 가만히 어깨를 감싸 안았다.

"한바림, 너 진짜 나쁘다. 내가 네 친구 맞긴 하냐? 적어도 나한테는 얘기했어야지. 나는 네가 그런 엄청난 고민이 있는 줄도 모르고, 너랑 오랜만에 같이 미술 학원 다니게 돼서 열마나 신났는지 알아? 꼭 옛날로 돌아간 것 같았단 말이야. 미안하긴 뭐가 미안해. 네 마음 몰라준 내가 바보였지. 그냥 슬럼프라 생각했는데…….

너 넘어지면서 손이 아니라 머리 다쳤냐? 부럽긴 내가 뭐가 부러워. 나 아직도 우리 엄마한테 볶이는 거 몰라? 엄마만 볶으면 말도 안 해. 엄마 아들까지 나한테 다 늙어 무슨 짓이냐잖아. 세상에 열아홉한테 어떻게 다 늙었다는 표현을 써? 솔직히 나도 우리 엄마까지는 이해하지. 그런데 멀쩡히 다니던 학교 그만두고 수능 다시 봐서 대학 두 번 간 주제에. 그런 오빠 놈이 할 말은 아니지 않냐? 너는 오빠 없어서 모르지? 남매는 전생이 아니라 현생의 원수다. 부모님의 원수가 아니라 부모님이 낳은 원수라고.

야! 용감하긴 뭐가 용감해. 나도 너한테 말을 안 해서 그렇지, 얼마나 고민했고, 또 엄마한테 얼마나 등짝을 맞았는데. 사실 나도 지금 많이 불안해. 다른 애들은 다들 실기 대회 나가고, 차곡차곡 경험 쌓는데, 나는 이제 겨우 기초반 탈출했잖아. 너한테야 쉽게 재수 얘기했지만, 네 말처럼 미대 재수가 어디 쉽겠냐? 안 그래도 오빠 놈 대학 두 번 간 것 때문에 우리 부모님 뒷목 여러 번 잡았는데.

어쨌든 이제 속 좀 시원해졌어? 그래 까짓것 우리 늙어 봤자 겨우 열아홉이다. 고3 끝나면 뭐 인생도 끝나냐? 그때부터 시작이지? 바림아, 나는 네 결정 응원해. 그러니까 우리 차근차근 처음부터 다시 준비하자. 한바림, 이 나쁜 것. 그동안 혼자 마음고생 오지게 했겠네. 그래도 내 잘못 어디 가냐? 어쨌든 너 그 추운 날 밖으로 끌고 나간 건 나였어. 내가 편의점 얘기 안 했으면 네가 그렇게 바보 같은 생각을 했겠냐고. 내가 잘못한 거 맞아.

아, 갑자기 생각났는데, 진짜 중요한 거. 우리 루이 뉴질랜드에 있어. 루이가 직접 자필로 쓴 편지 공개했거든. 거기서 쉬면서 음악 공부 다시 한다더라. 연예계를 은퇴했지 음악을 등진 건 아니라면서. 머지않아 다른 모습으로 인사드린단다. 아 우리 루이 마지막까지 너무 멋지지 않냐! 그러니까 너도 좀 쉬었다가 다시 돌아와. 알았어?

내가 진짜 경고하는데 너 한 번만 더 그런 멍청한 짓 했다가는 정말 두 손, 아니 두 다리까지 못 쓰게 만들어 줄 거야. 그렇게 힘들면 나한테 신호라도 보내지. 너 정말 나빠! 울긴 누가 운다고 그래. 나 안 울거든? 끊어 나 수업 들어가야 해."

간신히 진정된 눈물이 해미의 울먹거림에 또다시 터져 나왔다. 그렇게 한참을 혼자 울다, 바림은 지쳐 까무룩 잠에 빠져들었다.

얼마쯤 시간이 지났을까? 저절로 눈이 떠졌다. 창밖은 이미 어스름이 내려앉았다. 아주 잠깐 이곳이 어디고 지금이 몇 시인지 가늠되지 않았다. 핸드폰을 찾아 더듬거리는데 방문 밖에서 이모의 목소리가 들려왔다.

"언니 진짜 끝까지 이럴래?"

그것은 애써 꾹꾹 화를 눌러 담은, 지금껏 바림이 들어 본 적 없는 이모의 싸늘한 목소리였다.

"내가 억지로 미술 시켰니? 자기가 한다고 해서 밀어 준 거야. 그런데 내일모레 고 3 되는 애가 그림이 싫어질 것 같아 미대를 안 가겠다니? 그게 말이 된다고 생각해?"

"왜 말이 안 돼? 그림으로 대학 가기 싫다잖아. 온종일 학원에 틀어박혀 그리고 또 그리는 거 못 하겠다잖아. 흰 종이만 봐도, 물감 냄새만 맡아도 헛구역질이 올라온다잖아. 그게 무슨 의미인지 정말 모르겠어? 언니가 방금 말했잖아. 바림이가 좋아해서 시작했다고. 그럼 바림이가 싫어지면 순순히 그만두게 해야지."

바림이 자리에서 일어나 침대 끝에 조용히 걸터앉았다.

"싫어하긴 누가 싫어해? 손을 다쳐서 예민해진 상태야. 다른 애들 특강 들어갔는데, 혼자 이러고 있는 게 불안해서 저러는 거야. 내가 집에 가서 잘 다독이면……."

"바림이 손을 다친 게 아니야. 마음을 다쳤다고."

"너야말로 그럴싸하게 뜬구름 잡는 소리 좀 하지 마. 바림이 내 딸이야."

"그래 바림이 언니 딸이야. 언니는 바림이 유명한 화가 만들고, 잘나가는 디자이너 만들어서 덕 좀 보려고 이러는 거야. 맞아?"

"강여울. 너 지금 무슨 말도 안 되는 소리를……."

"그래 아니잖아. 바림이 행복하게 살라고 이러는 거잖아. 그런데 당사자가 지금 당장은 그림 그리기 싫대. 전혀 행복하지 않대. 지쳤다잖아. 무슨 말이 더 필요해?"

"지금까지 들인 시간 노력은 생각 안 해? 쟤 고3이야. 정신없이 준비해도 대학 들어갈까 말까라고. 돈은 또 얼마나 쏟아부었는데. 입시 미술이 애들 장난하는 곳인 줄 알아? 너 방학 특강비가 얼마인지나 아냐고? 학원비만 들어갈까? 재료비는 또 얼만데."

"그래? 그게 문제야? 그럼 간단하네. 지금까지 바림이한테 들어간 미술 학원비랑 재료비 나한테 청구해. 내가 다 물어줄게. 됐지?"

"강여울 너 말이면 단 줄 알아?"

눈물을 흘리는 조카에게 이모는 진정하고 잠시 쉬었다 출발하라 했다. 그런데 방에 돌아온 바림이 잠들어 버린 것이다. 바로 올라갔으면 두 사람의 말다툼은 없지 않았을까? 이모의 충고대로 그냥 집에 가서 이야기할 것을 싶었다. 바림이 침대에 앉아 초조하게 손톱을 물어뜯는데, 문밖에서 날카롭게 대립하던 두 사람은 돌연 조용히 침묵을 지켰다. 조카를 이해하려는 이모의 마음도, 딸의 미래를 걱정하는 엄마의 마음 모두가 바림의 가슴을 아프게 건드렸다.

벽시계의 초침이 째깍거리며 돌아갔다. 주방 싱크대에 똑똑 물방울이 떨어졌다. 혹여 소리가 새어 나갈까 바림은 숨조차 크게 내쉴 수 없었다.

"언니는 늘 눈에 보이고 손에 잡히는 결과가 중요하지? 나한테도 똑같았어. 결혼식 앞두고 훌쩍 떠났다가 돌아왔을 때. 언니는 내가 왜 그런 결정을 내렸는지 묻기보다 사람들의 수군거림을 더 신경 썼어. 엄마 얼굴에 먹칠했다며, 청첩장까지 다 돌리고 이게 무슨 짓이냐며, 창피해서 얼굴을 못 들고 다니겠다며. 나를 몰아세우고 닦달했잖아."

"금이에게 문제가 있었던 것도 아니야. 너에게 새로운 사람이 생긴 것도 아니고. 그런데 결혼 앞두고 도망가는 게 말이 되니? 사람들이 어떤 소문을 퍼트리고 다녔는지 네가 알기나 해?"

"세상 모든 일에 정확한 공식, 명확한 답이 있는 건 아니야."

이모가 가만가만 자신의 이야기를 풀어놓기 시작했다. 바림이 들어 알고 있는 내용도 있었고, 모르는 사연도 있었다. 한 가지 놀라운 사실은 이 모든 속마음을 이모는 오늘 처음 엄마에게 털어놓는다는 것이다. 만나면 친구처럼 툭탁거리는 두 사람이기에 누구보다 사이좋은 자매라 생각했다. 하지만 아무리 가까운 사이라도 마음속 진심을 모두 전하기엔 무리가 있는 모양이었다. 가장 친한 해미에게 고민을 얘기하지 못한 바림처럼.

"언니한테 서운하다고 말하려는 거 아니야. 언니 말처럼 내가 철이 없었어. 하지만 나 절대 후회하지 않아. 나는 지금 바림이도 그럴 거란 얘기를 하고 싶은 거야."

이모가 말을 멈추고는 허탈한 웃음을 터트렸다.

"언니도 대학 때 그랬잖아. 세계 여행 가겠다고 온갖 아르바이트를 다 하고, 여행 경로랑 비행기표에 숙소까지 알아보더니, 결국 그렇게 모은 돈으로 생뚱맞게 공부방 차렸잖아."

"뭐가 엉뚱해. 그때 내가 얼마나 배운 게 많은데. 덕분에 지금까지 이렇게 먹고살잖아."

"내 말이 그 말이야. 바림이도 분명 그럴 거라고. 그 녀석

아직 우리 반도 안 살았어. 스무 살도 안 됐단 말이야. 실패하려고 해도 할 수 없는 나이잖아. 그냥 다 경험이고 과정이지. 우리도 다 그렇게 좌충우돌하며 파란만장하게 살아왔잖아. 바림이 이제 시작도 안 했어. 누구 딸인데 걱정을 해?"

문밖에서 들려오는 자조 섞인 웃음은 분명 엄마였다.

"그래 내 딸 맞네. 열심히 준비해서 막판에 뒤엎는 것까지 꼭 나를 빼닮아야 하니? 어쨌든 우선은 좀 내버려 두긴 해야겠다. 네가 몰라서 그렇지. 걔 저러다 내가 언제 미술 그만둔다 했냐며 180도로 바뀐다."

"그러니까. 바뀔 때까지 기다려. 억지로 바꾸려 하지 말고."

"말은 쉽다."

"어려울 것도 없네요."

바림이 붕대 감긴 손을 가슴에 얹은 후, 천천히 숨을 내뱉었다. 어른들은 입버릇처럼 말했다. 현실은 냉혹하고 삶은 힘든 거라고. 그렇기에 직접 부딪혀 보는 수밖에 별다른 뾰족한 방법이 없었다. 그 험난한 과정에서 상처받지만, 가끔은 위로를 받을 수도 있었다. 사막에도 물은 존재하고 극지방에도 따뜻한 햇볕이 비치니까.

두 사람이 나란히 대문 밖을 벗어났다. 이모가 가까이 다가와 상자를 건넸다.

"할머니가 정리 잘해 두신 것 같다."

"나중에 커피와 우유 거품 그 위에 계핏가루 톡톡 마시러 올게."

바림이 상자를 품에 안으며 말했다. 이모가 몸을 돌려 엄마와 마주 섰다.

"말 심하게 해서 미안해. 그런데 원래 동생들은 다 이렇게 언니한테 대들면서 크는 거야."

"네가 이제야 철드는구나?"

"원래 사십 대는 돼야 슬슬 철들기 시작하는 거야. 운전 조심하고. 자 출발."

이모가 탕탕 보닛을 두드렸다. 하얀 세단이 천천히 마을길을 달렸다. 백미러에 비친 이모의 모습이 점점 작아지다 이내 시야에서 사라졌다. 이곳을 찾은 게 정말 우연일까? 혹여 하얀 까마귀가 부른 것은 아닐까? 험난한 인생길에 잠시 멈춰서 물 한잔 마시며 쉬어 가라고…….

"끈질긴 인연인지, 운명적 재회인지 정말 모르겠다."

엄마가 혼잣말처럼 중얼거렸다. 분명 여울과 금을 생각하는 중일 것이다. 결혼 직전에 헤어진, 그러다 훌쩍 시간의 강을 건너 재회한 두 사람.

"둘 다겠지. 엄마."

진짜 인연이고 운명이라면 다시 만날 것이다. 그것은 비단 사람의 인연에만 한정된 것은 아니다. 누구든 그리고 무엇이든 잊지 않는다면 언젠가는 재회하겠지. 미술을 다시 시작한 해미처럼, 바림도 언젠가는 그런 날이 오리란 생각이 들었다. 문득 미치도록 그림을 시작하고 싶은 날, 새하얀 도화지에 가슴이 설레고 팔레트에 물감을 짜는 순간이 마냥 행복한 날이 다시 도래하지 않을까.

"우선 아무 생각 말고 치료나 잘 받아."

엄마가 시선을 정면에 고정한 채 말했다. 바림이 운전석으로 고개를 돌렸다.

"몸이 건강해야 해. 그래야 때려치우든, 다시 시작하든 할 것 아니야?"

"엄마 미안해. 그리고 고마워."

"고마워할 필요 없어. 네 인생, 네 결정에 따라 사는 거야."

엄마가 흘낏 바림을 곁눈질했다.

"책임도 온전히 네 몫이고."

이제 곧 고3이 시작될 것이다. 그 1년이 지나면 싫든 좋든 성인이 된다. 모든 결정을 스스로 내리고 그 결과에 오롯이

책임을 져야 하는 진짜 어른. 그 생각이 들자 바림은 두렵고 무서웠다. 그러나 한편으로는 알 수 없는 설렘도 느껴졌다. 바림의 시선이 품에 안은 상자로 되돌아왔다.

"상자는 뒤에 놔둬. 불편하잖아."

"아니야. 이게 편해."

바림이 두 팔로 꽉 상자를 끌어안았다. 차창 밖으로 텅 빈 들판이 달려가고, 하늘은 오색의 노을을 흩뿌리기 시작했다.

'와! 하늘 봐, 하느님이 홍시 먹다가 터트렸다. 그렇지 이모?'

'카드뮴 오렌지와 레몬옐로, 윈저 바이올렛에 티타늄 화이트를 조금 섞으면…….'

태양이 천천히 산마루 위에 걸터앉았다. 새하얀 조각달이 빠끔히 얼굴을 내밀었다.

바림이 조수석 등받이에 깊게 몸을 묻고는 조용히 두 눈을 감았다.

"이 친구는 누구야?"

이모가 물었다. 바림이 가만히 도화지를 내려다보았다. 손은 언제나처럼 크레파스 범벅이었다. 노란 참외는 시원한 계곡에 담가 놓았다. 할머니는 그늘 밑에 누워 잠이 들었다. 오늘은 특별히 가게를 쉰다고 하셨다. 간간이 코 고는 소리가 들려왔다. 하지만 졸졸졸 흘러가는 물소리에 이내 묻혀 버렸다.

울창한 나무들이 둥근 초록 지붕을 만들었다. 물빛이 검은 곳은 수심이 깊다 했다. 물놀이는 얕은 곳에서만 허락되었다. 바림이 두 눈을 반짝이며 송사리 떼를 쳐다보았다. 그것만으로도 시간 가는 줄 모를 정도로 즐거웠다. 울울한 나무숲과 맑은 계곡은 도시와는 전혀 다른 세계를 보여 주었다. 햇살이 닿은 모든 것들이 반짝반짝 무지개색으로 빛났다.

뭍으로 올라온 바림이 주섬주섬 가방을 뒤적였다. 계곡은 거대한 뱀과 같았다. 하얗고 파랗고 검은 물빛이 뒤섞여 쉼 없이 흘러갔다. 이모는 더 큰 강을 향해, 할머니는 바다를 찾아 떠난다고 했다. 계곡은 아주 긴 여행을 하는 중이었다.

'물은 언제 쉬나?'

문득 궁금한 생각이 들었다. 돌 틈에서 쉴까? 아니면 웅덩이? 나무뿌리에 매달려 있으려나? 바림이 가방 속에서 스케치북을 꺼내 들었다. 늘 피곤하고 힘든 할머니는 깊은 단잠에 빠져 있었다. 이모는 계곡에 발을 담근 채 또다시 책 속으로 빠져들었다.

바람이 날아와 가늘고 긴 머리카락을 헝클어뜨렸다. 나뭇잎이 둥실둥실 물 위를 떠다녔다. 눈앞에 개미 떼가 줄지어 지나가고 나비와 벌들이 들꽃 사이를 바삐 날아다녔다. 계곡물에 퉁퉁 부은 작은 발가락들이 어느새 뽀송하게 말라 있었다.

"이야 멋지다. 남자야, 여자야? 키 되게 큰데?"

가까이 다가온 이모가 물었다. 비릿한 물 내음 사이로 진한 샴푸 향이 느껴졌다.

"모르겠어. 얘는 그냥 계곡이야."

특별히 성별을 생각하지 않았다. 물에도 여자와 남자가 있을까? 그냥 손이 가는 대로 그리기 시작했다. 완성하니 제법 마음에 들었다. 물은 부드러웠다. 아름답고 강하며 또 위험했다. 그 모습과 느낌을 표현하고 싶었다. 다 완성하고 보니 결과가 썩 나쁘지 않았다.

"계곡?"

이모가 다시 물었다. 바림이 크게 고개를 주억거렸다. 물빛은 다양했다. 검고 파랗고 투명하며 진초록과 암갈색이 뒤섞여 있었다.

"그러니까 지금 계곡을 의인화한 거네? 깊은 물이 검고 중간은 파란색이니까. 그렇지?"

"의인화?"

바림이 되물었다. 이모의 따뜻한 손길이 부드럽게 머리를 어루만져 주었다.

“아니야. 여덟 살은 아직 그런 거 몰라도 돼. 그냥 네 상상력이 대단하다는 말이야. 아이들은 다 예술가고 천재라더니 그 말이 딱 맞네.”

‘의인화가 뭘까?’라고 생각해 보았지만 처음 듣는 단어였다. 어른들의 어려운 말 따위 몰라도 그림 그리는 데는 전혀 문제 되지 않았다.

“그럼 이 친구 이름은 계곡이야?”

이모가 물었다.

“아니 물이야.”

바림이 대답했다. 그런데 막상 내뱉고 보니 뭔가 허전했다. 물도 계곡도 어울리지 않았다. 물아 계곡아, 이렇게 불리면 너무 웃기지 않을까? 사람에게 사람아, 하고 부르는 것과 다르지 않을 테니까.

“이모 물이 한자로 뭐야?”

엄마는 방학 동안 반드시 한자 학습지를 끝내라 했다. 그러나 생각처럼 쉽지 않았다. 돌아서면 잊어버렸고, 다음 날이면 머릿속에서 깨끗하게 지워졌다.

“물은 한자로 ‘수’라고 해. 지난번에 같이 외웠잖아?”

이모가 나뭇가지로 땅 위에 水[수] 자를 그려 넣었다. 그제야 어렴풋이 떠오르기 시작했다. 강물이 세 곳으로 갈라지는 의미라 했다. 헤어진 물들이 다시 만난다는 뜻이었구나. 그냥 물과 계곡보다는 '수'라는 이름이 훨씬 멋지고 그럴싸해 보였다.

"그럼 얘 이름은 수야."

바림이 그림 밑에 '水'라는 한자를 적었다. 쓰고 보니 너무 잘 어울리는 이름이었다. 수, 물 수, 바림이 작은 입술을 오물거리며 수를 발음해 보았다. 도화지 속 아이가 웃으며 "왜?" 라고 대답할 것 같았다.

즐거웠던 물놀이도 모두 끝났다. 할머니와 이모가 주위를 청소하는 동안, 바림이 스케치북과 크레파스를 정리하기 시작했다. 내일이면 부모님이 올 터였다. 이레와도 간신히 친해졌는데 다시 서울로 올라가야 한다니, 아무리 생각해도 방학이 너무 짧다는 생각뿐이었다.

"우리도 소원 빌까?"

산에서 내려오던 이모가 돌탑 앞에 멈춰 섰다. 그리고는 탑 위에 돌을 올려놓은 후, 기도하면 소원이 이루어진다 했다. 바림이 돌탑 위에 돌멩이 한 개를 올려놓았다.

"잘했어. 그럼 이제부터 소원을 비는 거야."

이모의 돌멩이도 돌탑 위에 놓였다. 두 사람이 가만히 두 손을 모았다.

"뭐 빌었어?"

먼저 눈을 뜬 이모가 물었다.

"이모는?"

"비밀."

"그럼 나도 비밀."

히죽 웃는 이모를 따라 바림도 웃었다. 두 사람이 천천히 산길을 내려갔다. 뒤를 돌아보자, 돌탑은 여전히 그곳에 있었다. 많은 이들의 소원을 간직한 채, 강한 태풍이 와도 절대 무너지지 않을 것 같았다.

'수 잘 있어. 또 올게. 그때는 더 멋진 모습으로 그려 줄게. 그때 다시 만나자.'

바림이 마음속으로 한 번 더 소원을 빌었다. 이모가 가만히 작은 손을 움켜잡았다.

"만날 허리 아프다면서 너희 할머니 걸음은 왜 저리 빠르다니. 우리도 서둘러 가자."

우거진 수풀 아래 파랗고 검은 계곡물이 흐르고 있었다. 다음에 다시 오면 그땐 수를 어떻게 그려 줄까? 상상만으로도 즐겁고 행복했다. 산에서 내려가는 발걸음이 가벼웠다.

바림이 한 마리 토끼처럼 깡충깡충 뛰어갔다.

"이제 내 이름 기억났어?"

수가 물었다. 바림이 천천히 고개를 끄덕였다.

"기억해 낼 줄 알았어."

바림의 눈앞에 파란 계곡물이 흘러갔다. 수의 티셔츠와 똑같은 색. 이제 수를 기억했는데 더는 함께할 수 없었다. 어쩌면 이것이 수와 만나는 마지막일지도 몰랐다.

"괜찮아. 네가 나를 영원히 잊는다고 해도 상관없어. 네가 나 때문에 아픈 것보다는 나아."

과연 수 때문에 아팠을까? 아니라면 거짓말일 것이다. 그림을 그리는 일이 어느 순간 아무 의미 없게 다가왔다. 학원에 들어서는 것조차 버겁게 느껴졌다. 엄마의 말처럼 정확한 문제가 있는 건 아니었다. 하지만 그렇기에 오히려 뾰족한 해결 방법도 생각나지 않았다.

"나 여기서 그만 멈추고 싶어."

무책임하게 들리겠지만, 그냥 이 모든 것에서 벗어나고 싶었다. 수가 이해한다는 듯 부드러운 눈빛으로 웃었다.

"잠시 쉬어 가. 그래도 돼. 아니, 그래야 또 앞으로 갈 수 있어."

그토록 오랫동안 사랑했는데, 그림 이외에 생각해 본 적 없는데, 막상 돌아서려니 각오한 것보다 너무 간단했다. 그것이 아프게 바림의 가슴을 짓눌렀다.

"물은 세상 그 어디에도 있어."

수가 말했다. 바림의 시선이 까만 두 눈동자에 닿았다.

"그러니 조금 다른 모습이라 해도 분명 다시 만날 거야."

"다른 모습?"

수가 크게 고개를 주억거렸다.

"꿈의 다른 모습. 네가 원하는 삶의 다른 모습. 그건 사실 처음부터 쭉 연결되어 있으니까. 이 계곡물이 호수와 강과 바다로 흘러가는 것처럼. 언젠가는 네 목적지에 도착해 있을 거야."

수는 그것이 진정한 꿈이라 했다. 포기하는 것도, 실패하는 것도 아닌, 계속해서 이어져 가는 거, 그렇게 한 걸음 두 걸음 앞으로 나아가다 보면 언젠가 다시 만난다 했다. 전혀 다른 것 같지만 사실 꿈은 처음부터 한 가지 모습이라 했다.

"그런데 왜 하필 고무신이야?"

수가 자신의 발을 내려다보며 까만 신발로 툭툭 땅을 팠다.

"고무신 아니야. 그냥…… 그때는 신발 그리는 법을 잘 몰랐어."

바림이 붉게 상기된 얼굴로 얼버무렸다.

"그래도 상관없어. 이 신발 좋아. 바림이 네가 그려 준 거니까. 나는 앞으로도 쭉 너를 기다릴 거야. 네가 어떤 선택을 하든, 그곳에는 내가 있을 테니까."

"후회 속에도?"

물론이지, 대답하며 수가 웃었다. 파란 하늘과 바다. 그리고 맑은 계곡을 닮은 미소가 멀리 아주 멀리 세상 끝까지 펴져 나갔다. 덕분에 바림은 안심할 수 있었다. 어디를 가든 수를 다시 만날 수 있을 테니까. 꿈과 조우할 수 있을 테니까.

"기다려. 꼭 다시 너를 만나러 올 거야."

그것이 바림이 원하는 소원이었고 돌탑에 돌멩이 한 개를 얹으며 염원한 기도였다. 꿈을 다시 만나게 해 달라고, 혹여 다른 모습으로 찾아와도 꼭 알아볼 수 있게 해 달라고, 온 마음으로 바랐다. 그리고 영검한 백오산은 분명 그 소원을 들어 줄 것이다.

"기다릴게. 반드시."

수가 말했다. 바림이 물빛의 투명한 미소로 대답했다.

"응 반드시. 그런데 수 있잖아. 이거 말이야."

"……."

"꿈이지?"

그 말을 내뱉기 무섭게 날카로운 경적이 날아들었다. 현실의 소음이 불꽃이 되어 한순간 주위를 태워 버렸다. 서둘러 팔을 뻗어 보지만 언제나처럼 손에 잡히는 건 없었다. 도시로 돌아오니 또 그 꿈이었다. 눈을 뜨기 무섭게 기억은 사라지고 어렴풋한 잔상만 남아 버리는……. 아무것도 생각나지 않지만, 유일하게 같은 꿈이라는 것만 기억나는 아이러니. 바림이 고개를 돌린 곳에 빽빽한 빌딩 숲이 반짝이고 있었다. 고속 도로를 빠져나온 차가 서서히 속도를 줄였다.

"깼어?

엄마가 말했다.

"응."

바림이 멍한 표정으로 느리게 두 눈을 끔뻑였다.

"무슨 상자를 곰 인형처럼 끌어안고 자냐?"

아주 긴 꿈을 꾼 것 같았다. 어쩌면 잠시 숲속 여행을 떠난 것인지도 몰랐다. 파란 티셔츠가 진짜 존재하는지, 어떻게 다시 만났는지는 크게 중요치 않았다. 착각이 만든 환상이거나 단순한 신기루일 수도 있었다. 바림이 조우한 건, 그림 속 아이가 아니었다. 10여 년 전 여덟 살의 꼬마였다. 의인화 따위 몰라도 전혀 상관없는, 그림 자체를 즐거워 했던 그 시절의 진짜 화가.

바림이 눈을 들어 차창 밖으로 펼쳐진 암청색 하늘을 바라보았다. 미드나이트블루. 세상은 조금씩 빛을 지워 내며 어두운 밤으로 나아가고 있었다.

"그런데 새벽을 여는 하늘은 훨씬 밝게 보여. 챌린지 블루 어때?"

아이의 목소리가 봄바람처럼 부드럽게 귓가에 스며들었다. 도전이라 해서 꼭 전진만을 의미하지 않는다. 가끔은 제자리에 멈춰 서는 것 역시 또 다른 의미의 도전이다. 똑같은 하늘이라 해도, 밤과 새벽이 전혀 다른 느낌으로 다가오듯. 세상 모든 도전에는 반드시 용기가 필요하고, 용기를 내는 것부터가 도전이다. 바림은 비로소 그 사실을 깨닫게 되었다.

삶이 점점 더 깊은 어둠으로 물들어 간다고 믿었다. 하지만 또 모를 일이다. 바로 그 순간이야말로 새벽의 문이 열린 것인지도. 누구도 쉽게 알아차리지 못할 것이다. 자신의 삶이 어떤 색으로 물들고 있는지를…….

"길이 많이 막히네. 좀 돌아가도 다른 길로 갈까?"

모두 어디를 가는 것일까? 온종일 어디를 다녀온 것일까? 저 많은 사람이 모두 가야 할 곳이 있다는 사실이 바림은 문득 신기하게 느껴졌다. 위태롭게 쌓은 돌탑이 절대로 무너지지 않는 것처럼…….

"그럼 다른 길로 가."

바림이 말했다.

"그래 좀 돌아가면 어떠냐? 마냥 도로에 갇혀 있는 것보다 낫지."

엄마가 천천히 핸들을 돌려 차선을 변경했다. 창밖의 헤드라이트들이 황금빛 띠가 되어 너울너울 춤췄다. 하늘에서 보면 이 넓고 큰 도로도 빛의 강처럼 보일 것이다. 결국 인생은 살아가는 것이 아닌, 흘러가는 것이 아닐까? 그것이 꼭 잘못되었다고는 생각지 않는다. 더 크고 넓은 곳으로 달려 나가는 것만이 정답은 아닐 테니까.

당장 붓을 놓는다고 해서, 지금까지 쌓아온 시간이 무의미한 것도 아니다. 머그잔에 담아도, 깊은 계곡에 머물러도 물이 물이라는 사실만은 변하지 않는 것처럼. 수백 수천 번 붓질했던 시간은, 또 다른 형태로 함께할 것이다.

"엄마 내 방 서랍에 파란색 크레파스가 있어."

코발트블루나 울트라 머린, 프러시안이나 피콕 그리고 셀룰리안도 아니었다. 물빛과 가장 흡사한 신비한 파란색이었다.

"곤히 자더니 무슨 꿈 꿨어? 우선 집에나 빨리 가자. 이쪽 길은 슬슬 정체가 풀린다."

서서히 속도를 높이며 차가 앞으로 달려 나갔다. 바림이 품 안에 상자를 꼭 끌어안았다. 거대한 황금빛의 물줄기가 도시를 천천히 가로지르고 있었다.

작가 인터뷰

김민령(아동·청소년문학 평론가) 작품 속에서 '수'의 이미지가 매우 강렬하고 마지막에 정체가 밝혀지는 순간 찡한 느낌을 줍니다. 어린 시절의 환상과 상상력이 이후 성장 과정이나 삶 속에서 힘이 될 수 있다고 보시나요? 어째서 그럴까요? 그런 의미에서 작가님이 어린 시절 갖고 있었던 환상이 있다면 소개 부탁드립니다.

이희영(작가) 성장이 좋은 의미도 있지만 어떤 프레임 안에 나를 끼워 넣는 일이기도 해요. 사회적 틀에 (좀 섬뜩한 표현이지만) 갇히기 전, 온전히 내 감정에 집중할 수 있는 시기가 어릴 적 같아요. 그때의 상상력은 거칠 게 없죠. 자유롭고 창의적이에요. 사람들이 그 시절의 장난감, 먹거리에 열광하는 이유가 이런 그리움 때문이 아닐까요. 어릴 적에 저는 잠들면 인형들이 깨어난다고 믿었어요. 그래서 〈토이 스토리〉를 보고 펑펑 울었나 봐요.

김민령 공간이 주는 영향력이란 꽤 중요해 보입니다. 시골은 '바림'에게 어린 시절의 기억과 열정을 기억해 내는 추억의 공간이기도 한 것 같습니다. 그런데 왜 도시가 아닌 시골이었을까요? 단순히 일상의 공간을 떠나 낯선 곳에 머무르는 것 이상의 의미가 있을까요? 그리고 실제 지명이 아니라 '주한시', '경진읍'이라는 가상의 지명을 사용하고 있는데 이유가 있는지, 혹시 작가님이 마음속에 담고 있는 구체적인 장소나 풍경이 있나요?

이희영 저는 아이들이 가장 자연과 흡사하다 믿어요. 자연은 철저히 자신에게 집중하고, 저마다의 고유한 시간이 있어요. 봄에 피는 꽃이 있는가 하면 겨울에 피는 꽃이 있듯이요. 그런 시간과 장소를 바림에게 한 번 더 경험시키고 싶었어요. 식상한 표현이겠지만, 분주하고 바쁜 도시를 벗어나 자연에서 잠시 쉬기를 바랐거든요.

이번 글에서는 제가 원하는 장소를 굳이 현실에서 찾으려

하지 않았어요. 그냥 만들어 내는 것이 더 좋겠다 싶었죠. 어릴 적에 방학이면 놀러 갔던 시골에 저수지가 있었는데, 그 이미지가 떠오르긴 했어요.

김민령 바림이의 이모가 참여하는 글쓰기 모임이 인상적입니다. 작가인 이모가 그 모임에서 긍정적인 에너지를 많이 받는 것 같기도 하고, 다른 구성원들에게도 의미 있어 보입니다. 어떻게 보면 글쓰기란 매우 개인적인 활동일 텐데요, 함께 글을 쓰고 이야기를 나눈다는 것은 어떤 의미를 가질까요? 작가님의 개인적 체험도 궁금합니다.

이희영 사실 저도 글쓰기 모임을 했습니다. 아무리 숨기려 해도 글에는 작가가 나타나는 것 같아요. "이건 허구고 지어낸 이야기야."라고 말하지만, 글을 읽으면 작가의 상처나 아픔이 조금씩 엿보이거든요. 소설 속 주인공을 위로하는 것이, 때론 그 주인공을 탄생시킨 누군가에게 힘이 되는 경우가 있습니다. 그래서 글은 쓰는 것도 읽는 것도 모두 참 좋은 일 같아요.

김민령 바림이는 미술 입시를 준비하면서 슬럼프에 빠진 것으로 보입니다. 예술 관련 진로를 모색하는 청소년들이라면 누구나 입시의 문턱에서 딱딱한 제도와 절차, 기계적 훈련 때문에 혼란에 빠질 수 있습니다. 순수한 열정이 흔들리는 순간이 올 수도 있고요. 작가님도 작가가 되기 위해 준비하는 과정에서 이와 비슷한 슬럼프를 겪은 적이 있었나요? 혹시 창조적 작업을 하는 선배로서 예체능 입시를 준비하는 청소년들에게 들려줄 조언이 있나요?

이희영 죄송하게도 저는 작가를 꿈꾼 적이 한 번도 없어요. 작가가 될 수 있으리란 기대조차 못 했어요. 덕분에 저 자신에게 과한 기대도, 큰 실망도 없었나 봐요. 말씀하셨듯이 창조적 작업을 하는 사람은 다소 예민한 경향이 있죠. 그런데 저는 참 무뎌요. 안 되는 걸 당연하게 받아들여요. 세상은 계획대로 될 때보다 안 될 때가 많으니까요. 그렇다고 "글 안 쓸 거야?"라고 자문해 보면 그만두는 건 또 싫어요. 그럼 방법은 하나죠. 계속하는 거. 이왕 할 거 재미있게 하는 거. 스스로에게 여유를 주셨으면 좋겠어요. 입시라는 특수한 상황에 놓여 있지만, 이 힘든 것을 왜 할까? 근본적인 질문의 답은 하나예요. 좋아하니까. 그럼 그 답을 믿고 묵묵히 가시길 바랍니다.

김민령 나보다 더 재능 있고 열심히 사는 친구를 보면 질투나 좌절감을 느낄 수 있습니다. 나에게 직접적인 해를 끼치지 않는데도 그 친구가 밉고 싫은 감정이 들기도 합니다. 하지만 이런 마음은 자신을 더 힘들게 하겠지요. 우리는 이런 마음을 어떻게 다스릴 수 있을까요?

이희영 질투는 본능인 것 같아요. 저도 다른 작가님들 작품 읽으면 '나는 왜 이렇게 못 쓸까?' 슬퍼하고 좌절했어요. 그런데 어느 날 문득 그런 생각이 들더라고요. 내가 혼자 자책하고 비교하는 사실을 과연 그 작가님은 아실까? 전혀 모르실 거예요. 그럼 나 혼자 이럴 필요 있나? 정작 질투의 대상은 내 존재도 모를 텐데. 내가 왜 내 속을 긁고 있을까 싶었죠. 그래서 얻는 것이 없더라고요. 그 뒤로는 많이 바뀌었어요. 상대의 훌륭한 점에 자극은 받아도, 자책은 하지 말자. 그래봤자 나에게 도움 되는 건 없다. 이럴 땐 무딘 성격이 나쁘지는 않아요.

김민령 마지막으로 《챌린지 블루》를 읽은 독자와 어떤 말씀을 나누고 싶으신가요?

이희영 지금까지 참 많이 넘어졌습니다. 때로는 툭툭 털고 일어났고, 때로는 넘어진 곳에서 한참을 주저앉아 있었습니다. 한여름 시원하게 굽이쳐 흐르는 물이 한겨울 꽁꽁 얼어붙은 것처럼…….

아무렇지 않은 척 털고 일어나는 것만이 용기도 아니고, 그 자리에 우두커니 앉아 있다고 해서 못난 것도 아니었습니다. 그냥 그때는 그럴 수밖에 없었을 뿐이지요. 그 사실을 다 지난 후에야 알게 되었습니다. 삶은 지독한 근시라서, 멀리 내다보기란 참 힘든 일입니다.

인생을 살아가는 특별한 방법이나 쉬운 지름길 같은 건 모릅니다. 결국 나는 또 넘어지고 또 일어나고 또 힘없이 주저앉을 것입니다. 글쓰기도 그렇게 가다 쉬기를 반복하며 조금씩 앞으로 나아갈 것입니다.

이토록 더딘 발걸음에 보폭을 맞춰 주는 가족들, 내 글의 원동력이자 삶의 이유입니다. 흐릿했던 바림이에게 선명한 색을 선물해 주신 편집자님께 진심 어린 감사를 전합니다. 그리고 바쁜 일상에 잠시 쉼표를 찍고, 책장을 넘겨 주신 분들, 늘 행복한 일만 가득하시길, 온 마음으로 기도드립니다.

챌린지 블루

초판 1쇄 발행 2022년 6월 10일
초판 7쇄 발행 2024년 6월 28일

지은이 · 이희영
펴낸이 · 김종곤
편집 · 김용희, 김은주, 소인정, 한아름
조판 · 이보옥
펴낸곳 · (주)창비교육
등록 · 2014년 6월 20일 제2014-000183호
주소 · 04004 서울특별시 마포구 월드컵로12길 7
전화 · 1833-7247
팩스 · 영업 070-4838-4938 | 편집 02-6949-0953
홈페이지 · www.changbiedu.com
전자우편 · contents@changbi.com

ISBN 979-11-6570-120-8 43810

창비교육 성장소설 시리즈는 '성장'을 고리로
소통과 공감을 이끌어 내는 이야기를 담아냅니다.